Bestsellers

KEN FOLLETT

LO SCANDALO MODIGLIANI

Traduzione di Roberta Rambelli

OSCAR MONDADORI

© 1976 Zachary Stone
Introduzione © 1985 Holland Copyright Corporation
Titolo originale dell'opera: *The Modigliani Scandal*
© 1986 Arnoldo Mondadori Editore S.p.A., Milano

I edizione Bestsellers Oscar Mondadori giugno 1990

ISBN 88-04-33449-5

Questo volume è stato stampato
presso Mondadori Printing S.p.A.
Stabilimento NSM - Cles (TN)
Stampato in Italia. Printed in Italy

Ristampe:

12   13   14   15   16   17   18   19   20

2000   2001   2002   2003   2004

Il nostro indirizzo Internet è:
http://www.mondadori.com/libri

Lo scandalo Modigliani

INTRODUZIONE

In un thriller moderno, generalmente il protagonista salva il mondo. Le storie d'avventura tradizionali sono più modeste: il personaggio principale si limita a salvare se stesso, o magari un amico fedele o una ragazza coraggiosa. Nei romanzi meno sensazionali, i classici esempi della narrativa dignitosa che da più d'un secolo costituisce la dieta abituale dei lettori, le poste in gioco sono meno elevate; tuttavia gli sforzi, le scelte e le lotte di un personaggio determinano comunque il suo destino in modo drammatico.

Per essere sincero, io non credo che la vita sia così. Nella realtà di solito intervengono circostanze che sfuggono completamente al nostro controllo e stabiliscono se dobbiamo vivere o morire, essere felici o infelici, arricchire o perdere tutto. Per esempio, molti ricchi ereditano ciò che possiedono. Moltissimi di coloro che sono ben nutriti hanno avuto la fortuna di nascere in una nazione prospera. In gran parte, coloro che sono felici sono nati in famiglie dove regnava l'affetto; e coloro che soffrono hanno invece avuto genitori squinternati.

Non sono fatalista e non credo che nella vita tutto sia

dovuto al caso. Non disponiamo delle nostre vite nello stesso modo in cui un giocatore di scacchi dispone dei suoi pezzi; ma la vita non è neppure una roulette. Come sempre, la verità è complessa. Il destino di un individuo è determinato da meccanismi che sfuggono al nostro potere e a volte anche alla nostra comprensione; tuttavia le scelte da lui compiute hanno certe conseguenze sebbene non siano sempre le conseguenze previste.

Con *Lo scandalo Modigliani* avevo cercato di scrivere un romanzo di nuovo genere, un romanzo che rispecchiasse la sottile subordinazione della libertà individuale a un meccanismo più potente. Era un proposito immodesto, e ho fallito. Può darsi che sia impossibile scrivere un romanzo del genere: anche se la vita non è imperniata sulle scelte individuali, forse lo è la letteratura.

Ciò che ho scritto, tutto sommato, è una specie di giallo spensierato in cui moltissimi personaggi, quasi tutti giovani, si lanciano in una quantità di imprese azzardate, nessuna delle quali va a finire esattamente secondo le previsioni. I critici lo hanno definito vivace, effervescente, leggero, colorito, spiritoso, leggero (ancora) e frizzante. A quel tempo sono rimasto deluso perché non si erano accorti della serietà delle mie intenzioni.

Oggi non considero più questo libro come una sorta di fallimento. È davvero frizzante, e questo non è certo un male. Il fatto che sia tanto diverso dal libro che mi ero ripromesso di scrivere non avrebbe dovuto sorprendermi. Dopotutto, questo conferma la mia tesi.

Parte prima

LA PREPARAZIONE DELLA TELA

"L'arte non si sposa, la si violenta."
Edgar Degas, pittore impressionista

1

Il fornaio si grattò i baffi neri con l'indice infarinato, imbiancandoli quanto bastava per apparire più vecchio di dieci anni. Intorno a lui gli scaffali e i banchi erano pieni di lunghe pagnotte fresche e croccanti e quel profumo casalingo gli saturava le narici e gli faceva gonfiare il petto di orgoglio soddisfatto. Era la seconda infornata della mattina: le vendite andavano bene perché il tempo era splendido. Bastava un po' di sole per indurre le casalinghe di Parigi a uscire per comprare il suo ottimo pane.

Guardò dalla vetrina e socchiuse gli occhi per ripararli dalla luce. Una bella ragazza stava attraversando la strada. Il fornaio rimase in ascolto e sentì la voce stridula della moglie che, nel retrobottega, discuteva con un garzone. Il battibecco sarebbe continuato per qualche minuto: era sempre così. Certo di non essere sorpreso, il fornaio si prese il lusso di adocchiare la ragazza con avido interesse.

L'abitino estivo era leggero e sbracciato, e il fornaio pensò che doveva essere costato parecchio, anche se non era un esperto in materia. La gonna scampanata ondeggiava graziosamente a metà coscia, metteva in risalto le gambe nude e snelle, e prometteva senza mai concederli scorci piccanti di biancheria femminile.

Era troppo snella per i suoi gusti, pensò il fornaio quando la ragazza si avvicinò. I seni erano piccoli e non oscillavano neppure al ritmo del passo lungo e deciso. Dopo vent'anni di matrimonio con Jeanne-Marie il fornaio non si era ancora stancato dei seni voluminosi e penduli.

La ragazza entrò nel negozio e il fornaio s'accorse che non era un'autentica bellezza. Il viso era lungo e scarno, la bocca piccola e sottile, con i denti superiori un po' sporgenti. I capelli erano bruni sotto uno strato superficiale più biondo, schiarito dal sole.

La ragazza scelse una pagnotta sul banco, saggiò la crosta con le mani affusolate e annuì soddisfatta. Anche se non era una bellezza era senza dubbio desiderabile, pensò il fornaio.

Aveva la carnagione bianca e rosea, morbida e levigata. Ma era il portamento, quello che faceva voltare la gente: era sicuro, deciso, e annunciava al mondo che quella ragazza faceva esattamente ciò che voleva e niente altro. Il fornaio si disse che non era il caso di giocare con le parole: la ragazza era sexy, ecco tutto.

Fletté le spalle per staccare la camicia incollata dal sudore. «*Chaud, hein?*» le chiese.

La ragazza pescò gli spiccioli dalla borsetta e pagò il pane. Sorrise e, di colpo, divenne davvero bella. «*Le soleil? Je l'aime*» disse. Chiuse la borsetta e aprì la porta del negozio. «*Merci!*» disse girando appena la testa mentre usciva.

C'era un lieve accento nel suo francese... un accento inglese, pensò il fornaio. Ma forse l'aveva immaginato, perché si intonava alla carnagione. Non riuscì a staccarle gli occhi dal didietro mentre lei attraversava la strada: era ipnotizzato dal movimento dei muscoli sotto l'abito di co-

tone. Con ogni probabilità stava tornando nell'appartamento di un giovane musicista capellone che era ancora a
letto dopo una notte di baldoria.

La voce stridula di Jeanne-Marie si fece più vicina e interruppe le fantasie del fornaio. Con un sospiro, buttò nel
cassetto gli spiccioli che gli aveva dato la ragazza.

Dee Sleign sorrise tra sé mentre si allontanava dal negozio. Il mito era vero: i francesi erano più sensuali degli inglesi. Lo sguardo del fornaio era stato apertamente lasci-
vo e aveva indugiato sul suo inguine. Un fornaio inglese le
avrebbe sbirciato furtivamente il seno al di sopra degli occhiali.

Inclinò la testa e ributtò i capelli dietro gli orecchi per
lasciare che il sole caldo le splendesse sul viso. Era meravigliosa, quella vita, quell'estate a Parigi. Niente lezioni né
esami, niente di niente. Andava a letto con Mike e si alza-
va tardi. C'erano ottimo caffè e pane fresco per colazione; i giorni passavano tra i libri che aveva sempre desiderato leggere e i quadri che le piacevano, e le serate trascor-
revano in compagnia di persone interessanti ed eccentriche.

Presto sarebbe finita. Avrebbe dovuto decidere che cosa fare del resto della sua esistenza. Ma per il momento viveva in un limbo tutto suo, si godeva le cose che le piacevano senza che un rigido obiettivo stabilisse come doveva
trascorrere ogni minuto.

Svoltò all'angolo ed entrò in un caseggiato piuttosto
modesto. Mentre passava davanti alla guardiola della
portineria, la *concierge* la chiamò a gran voce.

«*Mademoiselle!*»

La donna dai capelli grigi scandì ogni sillaba e vi trasfuse un'intonazione d'accusa come per sottolineare il fatto scandaloso che Dee non era sposata con l'inquilino dell'appartamento. Dee sorrise di nuovo: a Parigi, una relazione amorosa non sarebbe stata davvero completa senza la disapprovazione della *concierge*.

«*Télégramme.*» La donna posò la busta sul ripiano nello sportello e si ritirò nella semioscurità della guardiola odorosa d'urina di gatto, come se intendesse dissociarsi del tutto dalle ragazze scostumate e dai loro telegrammi.

Dee prese la busta e salì di corsa la scala. Sapeva cos'era quel messaggio indirizzato a lei.

Entrò nell'appartamento e posò il pane e il telegramma sul tavolo della cucinetta. Versò il caffè nel macinino e premette il pulsante: la piccola macchina ringhiò rabbiosamente e incominciò a ridurre in polvere i chicchi tostati.

Il rasoio elettrico di Mike ronzò, quasi in risposta a quel suono. A volte la promessa di un caffè era la sola cosa che aveva il potere di farlo alzare dal letto. Dee ne preparò un bricco e affettò il pane fresco.

L'appartamento di Mike era piccolo e arredato con roba vecchiotta e anonima. Lui avrebbe desiderato qualcosa di più grandioso e avrebbe potuto permetterselo. Ma Dee aveva insistito per evitare gli alberghi e i quartieri eleganti: voleva trascorrere l'estate con i francesi e non con il jet set internazionale. E l'aveva spuntata.

Il ronzio del rasoio elettrico cessò e Dee versò due tazze di caffè.

Mike entrò proprio mentre lei posava le tazze sul tavolo rotondo. Portava i soliti Levi's stinti e rattoppati e la camicia di cotone azzurro, aperta sul collo, rivelava un ciuffo di peli neri e un medaglione appeso a una catena d'argento.

«Buongiorno, amore» disse. Girò intorno al tavolo e la
baciò. Dee gli cinse la vita con le braccia, lo strinse a sé e
ricambiò appassionatamente il bacio.

«Wow! Che slancio, a quest'ora di mattina» disse Mike. Sfoggiò un gran sorriso californiano e sedette.

Dee lo guardò sorseggiare con soddisfazione il caffè e si
chiese se desiderava passare con lui il resto della sua vita. La
relazione durava ormai da un anno e per Dee cominciava a
diventare un'abitudine. Le piacevano il cinismo di Mike, il
suo senso dello humor, il suo spirito avventuroso. Tutti e
due erano interessati all'arte in modo quasi ossessivo, anche se l'interesse di lui era tutto per il denaro che si poteva
ricavarne, mentre Dee era affascinata dai perché e dai per-
come del processo creativo. Si stimolavano l'un l'altra, a
letto e non soltanto a letto. Erano ben accoppiati.

Mike si alzò, versò un altro po' di caffè e accese due sigarette, una per ciascuno. «Come sei taciturna» disse con
quella sua voce bassa dall'accento americano. «Stai pensando ai risultati? È ora che arrivino.»

«Sono arrivati oggi» rispose Dee. «Non ho ancora
aperto il telegramma.»

«Cosa? Ehi, su. Voglio sapere come ti è andata.»

«Bene.» Dee prese la busta e tornò a sedersi prima di
aprirla con il pollice. Spiegò l'unico foglio di carta velina,
gli diede un'occhiata e alzò il volto con un gran sorriso.

«Dio mio, ho preso il massimo dei voti» disse.

Mike si alzò di scatto. «Evviva!» gridò. «Lo sapevo!
Sei un genio!» Si lanciò in una concitata imitazione di una
square dance western, con tanto di grida «*Yee-hah*» e
suoni che simulavano una chitarra, e saltellò tutto intorno
alla cucina con una dama immaginaria.

Dee non seppe trattenere una risata. «Sei il trentanovenne più infantile che abbia mai conosciuto» esclamò. Mike s'inchinò come per rispondere a un applauso e tornò a sedersi.

«Dunque» le disse. «Che cosa significa per il tuo futuro?»

Dee ridivenne seria. «Significa che potrò prendere il dottorato di ricerca.»

«Un altro pezzo di carta? Hai già una laurea in storia dell'arte e un diploma in Belle Arti. Non sarebbe ora che smettessi di fare la studentessa di professione?»

«E perché? Imparare mi piace... E se sono disposti a pagare per farmi studiare per il resto della mia vita, perché non dovrei farlo?»

«Non ti pagano molto.»

«Questo è vero.» Dee assunse un'aria pensierosa. «E mi piacerebbe guadagnare una montagna di quattrini, in un modo o nell'altro. Comunque il tempo non manca. Ho appena venticinque anni.»

Mike le prese la mano. «Perché non vieni a lavorare per me? Io ti pagherei un patrimonio... ne varrebbe la pena.»

Lei scrollò la testa. «Non voglio starti sulla schiena. Ce la farò da sola.»

«Però non ti dispiace starmi addosso» sorrise Mike.

Dee gli lanciò un'occhiata maliziosa. «Puoi scommetterci.» Ritrasse la mano. «No, preparerò la mia tesi. Se verrà pubblicata, potrebbe anche rendermi qualcosa.»

«E l'argomento?»

«Ecco, ho in mente un paio di idee. La più promettente è il rapporto tra l'arte e la droga.»

«Molto alla moda.»

«E anche originale. Credo di poter dimostrare che l'abuso di droga è utile all'arte ma dannoso per gli artisti.»

«Un paradosso affascinante. Dove vuoi cominciare?»

«Qui. A Parigi. Nei primi due decenni del secolo nei giri di artisti si fumava erba. O meglio, hashish.»

Mike annuì. «Accetteresti un piccolo aiuto da me, almeno all'inizio?»

Dee prese una sigaretta. «Certo.»

Lui fece scattare l'accendino e glielo tese attraverso il tavolo. «C'è un vecchio con cui dovresti parlare. Era amico di alcuni maestri, prima della Grande Guerra. Un paio di volte mi ha messo sulle tracce di quadri interessanti.

«Era una specie di balordo, ma convinceva le prostitute a fare le modelle e spesso anche altre cose per i giovani pittori. Ormai è vecchissimo... deve avere quasi novant'anni. Ma ricorda tutto.»

Nel minuscolo monolocale c'era un puzzo tremendo. L'odore che saliva dalla pescheria al piano terreno pervadeva ogni cosa: filtrava attraverso l'impiantito spoglio e impregnava tutto, i mobili malridotti, le lenzuola del letto nell'angolo, le tende sbiadite dell'unica finestrella. Il fumo che esalava dalla pipa del vecchio non riusciva a mascherare il puzzo del pesce e l'aria viziata della stanza che veniva raramente pulita a fondo.

E alle pareti erano appesi quadri post-impressionisti che valevano un patrimonio.

«Me li hanno regalati gli autori» spiegò con disinvoltura il vecchio. Dee era costretta a concentrarsi per capire lo stretto accento parigino. «Non ce la facevano a pagare i debiti. E io accettavo i quadri perché sapevo che non avrebbero mai trovato i quattrini. Allora le loro opere non mi piacevano. Adesso capisco perché dipingevano così, e mi piacciono. E poi rievocano tanti ricordi.»

Il vecchio era completamente calvo, e il suo viso era flaccido e pallido. Era basso e camminava a fatica, ma gli occhietti neri brillavano d'entusiasmo. Si sentiva ringiovanito in presenza di quella ragazza inglese così carina che parlava bene il francese e gli sorrideva come se avesse di fronte un coetaneo.

«E non è assillato da gente che vorrebbe comprarli?» chiese Dee.

«Adesso non più. Sono sempre disposto a prestarli... a darli a nolo.» Gli occhi del vecchio luccicarono. «Così posso pagarmi il tabacco» soggiunse alzando la pipa in un gesto simile a un brindisi.

Dee riconobbe un altro degli elementi che formavano quel miscuglio di odori: il tabacco era mescolato alla canapa indiana. Annuì con aria di complicità.

«Ne vuole un po'? Ho qualche cartina» propose il vecchio.

«Grazie.»

Il vecchio le porse una lattina di tabacco, qualche cartina per sigarette, un piccolo grumo di resina, e Dee incominciò ad arrotolarsi uno spinello.

«Ah, voi ragazze» mormorò l'uomo. «La droga fa male. Non dovrei corrompere i giovani. Ma non ho fatto altro per tutta la vita, e ormai sono troppo vecchio per cambiare.»

«Comunque ha vissuto molto a lungo» disse Dee.

«È vero, è vero. Quest'anno compirò gli ottantanove, mi pare. E per settant'anni ho fumato tutti i giorni il mio tabacco... tranne quand'ero al fresco, naturalmente.»

Dee leccò la cartina gommata e completò lo spinello. L'accese con un piccolo accendino d'oro e aspirò. «I pittori usavano molto l'hashish?» chiese.

«Oh, sì. Io ci guadagnavo parecchio. Alcuni spendevano tutto quello che avevano.» Il vecchio lanciò un'occhiata a un disegno appeso al muro, uno schizzo frettoloso che raffigurava una testa di donna dal volto ovale e dal lungo naso sottile. «Dedo era il peggiore» soggiunse con un sorriso remoto.

Dee riconobbe la firma sul disegno. «Modigliani?»

«Sì.» Ormai gli occhi dell'uomo erano smarriti nel passato. Sembrava che parlasse a se stesso. «Portava sempre una giacca di velluto a coste marrone e un cappello di feltro. Diceva che l'arte sarebbe dovuta essere come l'hashish: avrebbe dovuto mostrare alla gente la bellezza delle cose, quella bellezza che di solito non si riesce a vedere. E poi beveva, per vedere anche la bruttezza delle cose. Ma preferiva l'hashish.

«Purtroppo aveva tanti scrupoli di coscienza. Credo che fosse stato allevato in modo rigoroso. E poi era delicato di salute e così si preoccupava per la droga. Si preoccupava ma la usava comunque.» Il vecchio sorrise e annuì, come se trovasse una conferma nei suoi ricordi.

«Abitava nell'Impasse Falguière. Era poverissimo ed era diventato pelle e ossa. Ricordo quando andò a visitare il settore egizio del Louvre... al ritorno disse che era l'unico settore che valeva la pena di vedere!» Rise allegramente. «Ma era un uomo malinconico» continuò cambiando tono. «Teneva sempre in tasca *Les Chants de Maldoror* e sapeva recitare molte poesie francesi. Il cubismo arrivò verso la fine della sua vita. Gli era completamente estraneo. Forse lo uccise.»

Dee intervenne a voce bassa, per guidare la memoria del vecchio senza sconvolgere la concatenazione dei suoi pensieri. «Dedo dipingeva mai quando aveva fumato?»

Il vecchio rise. «Oh, sì. Quand'era sotto l'effetto della droga dipingeva in gran fretta, e intanto gridava che quello sarebbe stato il suo capolavoro, il suo *chef-d'oeuvre*, e che tutta Parigi avrebbe visto cosa significava la pittura. Sceglieva i colori più vivi e li gettava sulla tela. Gli amici gli dicevano che il quadro era orribile e lui li mandava al diavolo, ribatteva che erano troppo ignoranti per capire che quella era l'arte del ventesimo secolo. Alla fine, quando gli passava, riconosceva che avevano ragione e buttava la tela in un angolo.» Il vecchio aspirò la pipa, si accorse che era spenta e prese i fiammiferi. L'incantesimo s'era spezzato.

Dee si protese in avanti sulla seggiola, dimentica dello spinello che le si consumava tra le dita. La sua voce era vibrante e intensa.

«Che fine hanno fatto quei quadri?»

Il vecchio riaccese la pipa, si appoggiò alla spalliera e aspirò, ritmicamente. A poco a poco il ritmo lo ricondusse nel mondo dei ricordi. «Povero Dedo» disse. «Non poteva pagare l'affitto. Non sapeva dove andare. Il padrone di casa gli diede ventiquattr'ore di tempo per traslocare. Dedo cercò di vendere qualche quadro, ma le poche persone che ne capivano il valore non erano più ricche di lui.

«Dovette andare a vivere con uno degli altri... non ricordo chi. C'era poco spazio per Dedo e soprattutto per i suoi quadri. Quelli che preferiva li prestò agli amici intimi.

«Gli altri...» Il vecchio borbottò come se il ricordo gli avesse causato una fitta d'angoscia. «Mi sembra ancora di vederlo. Li caricò su una carriola e via, per la strada. Arrivò in un cortile, li ammucchiò tutti quanti e gli diede fuoco. "Che altro posso fare?" continuava a ripetere. Io avrei potuto fargli un prestito, credo; ma era già pieno di debiti. Comunque, quando vidi che stava lì a guardare i suoi quadri che bruciavano, mi dispiacque di non avergli dato un po' di quattrini. Ecco, non sono mai stato un santo, e da giovane lo ero anche meno di adesso.»

«E in quel falò finirono tutti i quadri che aveva dipinto sotto l'effetto dell'hashish?» La voce di Dee era quasi un sussurro.

«Sì» rispose il vecchio. «Più o meno tutti quanti.»

«Più o meno? Ne conservò qualcuno?»

«No, nessuno. Ma ne aveva dato uno a... l'avevo dimenticato, ma a parlarne con lei mi sembra di ricordare. C'era un prete, nella sua città natale, che s'interessava alle droghe orientali. Ho dimenticato il perché... forse per le proprietà medicinali o il valore spirituale... qualcosa del genere. Dedo gli confessò le sue abitudini e ottenne l'assoluzione. Allora il prete chiese di vedere le opere che aveva dipinto sotto l'influsso dell'hashish. Dedo gli mandò un quadro... uno solo, adesso ricordo bene.»

Lo spinello scottò le dita di Dee, e lei lo gettò in un portacenere. Il vecchio riaccese la pipa. Dee si alzò.

«La ringrazio infinitamente di aver accettato di parlare con me» disse.

«Uhm.» La mente del vecchio era ancora assorta nel passato. «Spero che le sia d'aiuto per la sua tesi» disse.

«Certo.» D'impulso, Dee si chinò a baciargli la testa calva. «È stato molto gentile.»

Gli occhietti neri scintillarono. «Era da molto tempo che non mi baciava una bella ragazza.»

«Di tutte le cose che mi ha detto, è la sola che non credo» rispose Dee. Gli sorrise di nuovo e uscì.

S'incamminò per la strada frenando a fatica l'euforia. Che colpo! E prima ancora che avesse incominciato il nuovo semestre! Moriva dalla voglia di raccontarlo a qualcuno. Poi rammentò... Mike non c'era: era andato in aereo a Londra per un paio di giorni. A chi poteva confidarlo?

Comprò una cartolina in un *café*; sedette per scriverla e ordinò un bicchiere di vino. La cartolina era una veduta del *café* e della strada.

Dee sorseggiò il *vin ordinaire* e si chiese a chi poteva spedire la cartolina. E poi, doveva informare la sua famiglia dei risultati. Sua madre sarebbe stata soddisfatta, in quel suo caratteristico modo un po' svampito; ma in realtà avrebbe preferito vederla inserita nella buona società agonizzante di quelli che frequentavano i balli di gala e i concorsi ippici. Non avrebbe apprezzato il trionfo di un alto voto di laurea. Chi l'avrebbe apprezzato?

Dee ricordò chi sarebbe stato più felice di tutti. E scrisse:

Caro zio Charles,
 puoi anche non crederlo, ma ho ottenuto il massimo dei voti!!! E c'è una cosa ancora più incredibile: sono sulle tracce d'un Modigliani perduto!!!
 Ti abbraccio

                                                            D.

Comprò un francobollo e spedì la cartolina prima di rientrare nell'appartamento di Mike.

2

La vita aveva perduto il suo fascino, pensò Charles Lampeth mentre si rilassava sulla seggiola Regina Anna. Un tempo quel luogo, la casa del suo amico, aveva visto feste e balli come ormai figuravano soltanto nei film storici più dispendiosi. Almeno due primi ministri avevano pranzato in quella sala con il lungo tavolo di quercia e le pareti rivestite da lucidi pannelli dello stesso legno. Ma la sala, la casa e il loro proprietario, Lord Cardwell, appartenevano a una razza in via d'estinzione.

Lampeth scelse un sigaro dalla scatola presentata dal maggiordomo e lasciò che fosse il servitore ad accenderglielo. Una sorsata di cognac stravecchio completò la sensazione di benessere. La cena era stata splendida, le due signore s'erano ritirate in salotto secondo una tradizione ultracentenaria. Adesso erano liberi di parlare.

Il maggiordomo accese il sigaro di Cardwell e uscì con passo felpato. Per un po' i due uomini fumarono soddisfatti, senza dir nulla. Erano amici da troppo tempo perché il silenzio creasse imbarazzo. Alla fine fu Cardwell a parlare.

«Come va il mercato dell'arte?» chiese.

Lampeth sorrise, contento: «In pieno boom, com'è ormai da anni».

«Non ne ho mai capito il meccanismo economico» osservò Cardwell. «Perché è tanto fiorente?»

«Come puoi immaginare è piuttosto complesso» rispose Lampeth. «Si può dire che tutto è incominciato quando gli americani si sono accorti dell'esistenza dell'arte, poco prima della seconda guerra mondiale. È il solito meccanismo della domanda e dell'offerta: i prezzi della pittura antica salirono alle stelle.

«Non c'erano a disposizione abbastanza opere dei grandi maestri del passato per accontentare tutti, e così il pubblico incominciò a interessarsi dei moderni.»

Cardwell l'interruppe. «E qui entrasti in scena tu.»

Lampeth annuì e assaporò un sorso di cognac. «Quando aprii la mia prima galleria subito dopo la guerra, era una lotta riuscire a vendere le opere dipinte dopo il 1900. Ma insistemmo. Incominciarono a piacere, i prezzi salirono a poco a poco, e poi entrarono in scena quelli che acquistavano a scopo d'investimento. Fu allora che gli impressionisti raggiunsero quotazioni da capogiro.»

«E parecchia gente guadagnò una fortuna» commentò Cardwell.

«Furono molto meno di quanto credi.» Lampeth allentò la cravatta a farfalla sotto il doppio mento. «È un po' come acquistare azioni o giocare alle corse dei cavalli. Se punti su qualcosa di sicuro, ti accorgi che l'hanno fatto anche tutti gli altri; e quindi le quote sono basse. Se vuoi comprare azioni sicure le paghi carissime, e se le rivendi hai un guadagno marginale.

«Lo stesso accade con i quadri. Compri un Velasquez ed è inevitabile che lo rivenderai molto bene. Però devi pagarlo tanto che sei costretto ad aspettare diversi anni per assicurarti un guadagno del cinquanta per cento. I soli che hanno fatto fortuna sono quelli che avevano comprato certi quadri solo perché gli piacevano, e poi hanno scoperto di avere buon gusto e ottimo fiuto quando il valore delle loro collezioni ha avuto un'impennata. Quelli come te.»

Cardwell annuì. Le rade ciocche di capelli bianchi ondeggiarono nella brezza leggera causata dal movimento. Si pizzicò la punta del lungo naso. «Quanto credi che possa valere, oggi, la mia collezione?»

«Signore Iddio.» Lampeth aggrottò le sopracciglia nere. «Questo dipende da molti fattori... il modo in cui verrebbe venduta, tanto per incominciare. E una valutazione accurata richiederebbe una settimana di lavoro da parte di un esperto.»

«Mi accontento di una valutazione così a braccio. Tu conosci i quadri... molti li hai acquistati tu stesso, in vece mia.»

«Sì.» Lampeth passò mentalmente in rassegna i venti o trenta dipinti e assegnò a ciascuno un valore approssimativo. Poi fece la somma.

«All'incirca un milione di sterline» disse.

Cardwell annuì di nuovo. «È la stessa cifra cui ero arrivato anch'io» disse. «Charlie, ho bisogno d'un milione di sterline.»

«Dio santo!» Lampeth si raddrizzò sulla sedia. «Non penserai di vendere la tua collezione?»

«Purtroppo è proprio così» disse Cardwell in tono rattristato. «Speravo di lasciarla alla nazione; ma le realtà degli affari hanno la precedenza. La società si è estesa troppo e ha necessità di una grossa iniezione di capitali entro dodici mesi per non finire sul lastrico. Sai bene che da anni sto vendendo la mia eredità, un pezzetto per volta, per potermi permettere questi lussi.» Alzò il bicchiere di cognac e bevve.

«I giovani leoni mi hanno messo con le spalle al muro» continuò. «Scope nuove spazzano il mondo della finanza, ormai. I nostri metodi sono superati. Me ne tirerò fuori non appena la società sarà abbastanza solida per cederla. Lasciamo che se la prenda un giovane leone.»

Nel sentire il tono di rassegnata disperazione dell'amico, Lampeth s'irritò. «I giovani leoni» disse con fare sprezzante. «Verrà anche per loro la resa dei conti.»

Cardwell rise. «Su, su, Charlie. Mio padre inorridì quando gli annunciai che avevo intenzione di dedicarmi agli affari. Ricordo che mi diceva: "Ma tu erediterai il titolo!" come se questo mi precludesse la possibilità di cercare d'arricchire. E tu... cosa ti disse tuo padre quando apristi una galleria d'arte?»

Lampeth accettò il commento con un sorriso riluttante. «Pensava che fosse un'attività indecorosa per il figlio d'un militare.»

«Quindi, come vedi, il mondo appartiene ai giovani leoni. Trova da vendere i miei quadri, Charlie.»

«Sarà necessario venderli separatamente, per spuntare i prezzi migliori.»

«Fai tu. Non è il caso che io sia sentimentale.»

«Comunque, alcuni dovrebbero essere tenuti insieme per una mostra. Vediamo: un Renoir, due Degas, qualche Pissarro, tre Modigliani... Dovrò pensarci. Il Cézanne dovrà andare all'asta, naturalmente.»

Cardwell si alzò. Era di statura imponente, circa un metro e novanta. «Be', è inutile indugiare intorno al cadavere. Vogliamo raggiungere le signore?»

La Belgrave Art Gallery aveva l'aria d'un museo provinciale di buona classe. Il silenzio era quasi tangibile quando Lampeth entrò e si avviò senza far rumore sulla moquette verde oliva. Alle dieci la galleria aveva appena aperto e non c'erano clienti. Tre assistenti in giacca nera e calzoni a righine si tenevano comunque pronti a poca distanza dall'ingresso.

Lampeth li salutò con un cenno e proseguì, scrutando con occhio esperto i quadri alle pareti. Qualcuno aveva appeso un astrattista moderno accanto a un primitivo, e Lampeth prese nota mentalmente di farlo spostare. Le opere non portavano l'indicazione del prezzo: era una politica studiata. I clienti avevano la sensazione che ogni accenno al denaro sarebbe stato accolto con una lieve smorfia di disapprovazione dagli impeccabili assistenti. Per rispetto verso se stessi, i clienti rammentavano che anche loro facevano parte di quel mondo in cui il denaro era un dettaglio trascurabile quanto la data sull'assegno. E così spendevano di più. Charles Lampeth era innanzi tutto un uomo d'affari: l'amore per l'arte veniva al secondo posto.

Salì l'ampia scala che portava al primo piano e adocchiò la propria immagine riflessa nel vetro d'una cornice. Il nodo della cravatta era piccolo, il colletto senza una grinza, l'abito confezionato in Savile Row cadeva perfettamente. Era un peccato che fosse un po' ingrassato, ma per la sua età faceva ancora una splendida figura. Raddrizzò istintivamente le spalle.

Prese nota di un altro dettaglio: il vetro di quella cornice non avrebbe dovuto essere riflettente. Sotto c'era un disegno a penna. Chi l'aveva appeso aveva commesso un errore.

Entrò nell'ufficio e appese l'ombrello all'attaccapanni.

Andò alla finestra e guardò Regent Street mentre accendeva il primo sigaro della giornata. Osservò il traffico e preparò mentalmente un elenco delle cose di cui avrebbe dovuto occuparsi tra quel momento e il primo gin and tonic delle cinque di sera.

Si voltò nel sentir entrare il suo socio, Stephen Willow. «Buongiorno, Willow» disse, e andò a sedere alla scrivania.

«Buongiorno, Lampeth» disse Willow. Avevano conservato l'abitudine di chiamarsi per cognome, sebbene lavorassero insieme da sei o sette anni. Lampeth aveva associato Willow per estendere la gamma degli autori della Belgrave: Willow aveva creato una sua piccola galleria coltivando i rapporti con cinque o sei giovani artisti che poi avevano sfondato. A quell'epoca Lampeth s'era accorto che la Belgrave era rimasta un po' indietro rispetto al mercato; e Willow aveva rappresentato l'occasione per agganciare la produzione contemporanea. La società funzionava benissimo: anche se tra i due c'erano dieci o quindici anni di differenza, Willow aveva gli stessi gusti artistici e lo stesso senso degli affari.

Willow posò un fascicolo sulla scrivania e rifiutò un sigaro. «Dobbiamo parlare di Peter Usher» disse.

«Ah, sì. C'è qualcosa che non va, e non riesco a capire di che cosa si tratta.»

«Lo abbiamo preso noi quando la Sixty-Nine Gallery s'è trovata in cattive acque» disse Willow. «Là era andato piuttosto bene per un anno... un suo quadro era stato venduto per mille sterline e di solito andavano per più di cinquecento. Da quando è passato con noi, ne ha venduti soltanto un paio.»

«Che prezzi pratichiamo?»

«Gli stessi della Sixty-Nine.»

«Può darsi che ci fosse sotto qualche inghippo» osservò Lampeth.

«Sì, credo di sì. Un numero un po' troppo elevato di quadri è ricomparso dopo che erano stati venduti.»

Lampeth annuì. Non era un segreto nel mondo dell'arte che a volte i galleristi compravano i propri quadri per attirare l'attenzione su un giovane artista.

«E comunque» disse Lampeth, «la nostra non è la galleria più adatta a Usher.» Vide che il socio inarcava le sopracciglia e soggiunse: «Non intendo criticarti, Willow... sul momento sembrava un colpo gobbo. Ma Usher è molto *avant-garde* e probabilmente lo ha danneggiato un po' legarsi a una galleria rispettabile come la nostra. D'altra parte, ormai è fatta. Sono ancora convinto che sia un ottimo pittore e dobbiamo fare tutto il possibile».

Willow cambiò idea e prese un sigaro dalla scatola sulla scrivania intarsiata di Lampeth. «Sì, è quel che penso anch'io. Ho provato a sondarlo a proposito dell'eventualità di una mostra: ha detto di avere un numero di opere sufficiente per giustificarla.»

«Bene. Magari nella New Room?» La galleria era troppo grande per riservarla interamente alle opere d'un artista vivente, e perciò le mostre personali si tenevano in gallerie più piccole oppure in una delle sale di Regent Street.

«Mi sembra l'ideale.»

Lampeth rifletté un momento. «Però mi domando se non gli faremmo un favore lasciando che passasse a un'altra galleria.»

«Forse è vero, ma gli altri non la penserebbero così.»

«Hai ragione.»

«Allora posso dirgli che siamo d'accordo?»

«Per il momento no. Potrebbe esserci in vista qualcosa di molto più grosso. Ieri sera Lord Cardwell mi ha invitato a cena. Vuol vendere la sua collezione.»

«Santo cielo... poveraccio. Per noi sarà una cosa molto impegnativa.»

«Sì, e dovremo prendere tutte le precauzioni. Ci sto ancora pensando. Lascia la faccenda in sospeso, per il momento.»

Willow sbirciò la finestra con la coda dell'occhio. Lampeth sapeva che era una specie di segnale: il suo socio stava riflettendo. «Cardwell non ha due o tre Modigliani?» chiese Willow.

«Appunto.» Per Lampeth non era una sorpresa che l'altro lo sapesse: un gallerista nel grande giro dell'arte sapeva sempre dove si trovavano centinaia di quadri, a chi appartenevano e quanto potevano valere.

«Interessante» continuò Willow. «Ieri, dopo che te ne sei andato, ho ricevuto una telefonata da Bonn. C'è sul mercato una collezione di disegni di Modigliani.»

«Di che genere?»

«Schizzi a matita per sculture. Naturalmente non sono ancora sul mercato. Possiamo averli noi, se li vogliamo.»

«Bene. Li compreremo comunque... credo che le quotazioni di Modigliani stiano per salire ancora. Per molto tempo è stato sottovalutato, lo sai, perché non rientra in una categoria ben definita.»

Willow si alzò. «Mi metterò in contatto con il mio rappresentante e gli dirò di comprare. E se Usher vuol sapere qualcosa della sua personale, lo terrò sulla corda.»

«Sì. Ma sii gentile con lui.»

Willow uscì e Lampeth prese il cestino della posta in arrivo. Scostò una busta già aperta... e vide una cartolina.

Posò la busta e la prese. Diede un'occhiata all'illustrazione: doveva essere una via di Parigi. La girò e lesse il messaggio. Sorrise, divertito da quelle espressioni entusiaste e dalla foresta di punti esclamativi.

Poi si assestò sulla poltroncina e rifletté. Sua nipote riusciva a dare l'impressione d'essere molto femminile e sventata: ma in realtà aveva un'intelligenza sveglia e una volontà decisa. Di solito faceva sul serio, anche se si esprimeva come una scioccherella alla moda degli anni Venti.

Lampeth abbandonò nel cestino il resto della corrispondenza, mise la cartolina nella tasca interna della giacca, riprese l'ombrello e uscì.

L'agenzia era molto, molto discreta. Lo era persino l'ingresso, congegnato in modo che, quando un tassì si fermava nel cortile, dalla strada era impossibile vedere il visitatore che scendeva, pagava e varcava la porta a lato del portico.

I dipendenti avevano la stessa compitezza ossequiosa del personale della galleria... anche se per ragioni diverse. Se fossero stati costretti a spiegare qual era esattamente l'attività dell'agenzia avrebbero mormorato che effettuava indagini per conto dei clienti. Come gli assistenti della Belgrave non nominavano mai il denaro, quelli dell'agenzia non parlavano mai degli investigatori.

Per la verità, Lampeth non aveva mai visto un detective lì dentro, per quanto gli risultava. Gli investigatori dell'agenzia Lipsey non rivelavano chi erano i loro clienti per la semplice ragione che molto spesso non lo sapevano. La discrezione era ancora più importante dell'esito positivo di un'indagine.

Lampeth fu riconosciuto subito, sebbene fosse venuto

lì soltanto un paio di volte. Un impiegato gli prese l'ombrello e lo fece accomodare nell'ufficio del signor Lipsey, un uomo basso e azzimato dai capelli neri e lisci che aveva il modo di fare cortese e un po' luttuoso di un coroner a un'inchiesta su una morte sospetta.

Lipsey strinse la mano a Lampeth e gli indicò una poltrona. L'ufficio sembrava quello di un avvocato, più che di un investigatore: mobili di legno scuro a cassetti al posto degli schedari, e una cassaforte a muro. La scrivania era ingombra ma ben ordinata, con le matite disposte in fila, le carte ben ammucchiate e un calcolatore tascabile.

Il calcolatore rammentò a Lampeth che nella maggior parte dei casi le indagini dell'agenzia riguardavano possibili truffe; perciò aveva sede nella City. Tuttavia la Lipsey si occupava anche di rintracciare persone e, nel caso di Lampeth, anche dipinti. Gli onorari erano salati, e questo dava a Lampeth un senso di fiducia e di tranquillità.

«Un bicchiere di sherry?» propose Lipsey.

«Grazie.» Lampeth estrasse la cartolina dalla tasca mentre l'altro prendeva la bottiglia. Accettò il bicchiere e in cambio porse la cartolina. Lipsey sedette, non toccò il suo sherry che aveva posato sulla scrivania e studiò il messaggio.

Dopo un minuto disse: «Lei, immagino, vuole che le rintracciamo il quadro».

«Sì.»

«Ehm. Ha l'indirizzo parigino di sua nipote?»

«No. Ma sua madre... mia sorella... lo conoscerà senz'altro. Glielo farò avere. Tuttavia, se non conosco male Delia, è molto probabile che sia già partita per andare in cerca del Modigliani. A meno che non si trovi a Parigi.»

«Quindi... ci restano i suoi amici. E il quadro. È possibile che sua nipote abbia avuto sentore della grande scoperta proprio nelle vicinanze di quel *café*?»

«È molto probabile» disse Lampeth. «Sì, l'intuizione dev'essere esatta. Delia è molto impulsiva.»

«L'ho immaginato... ehm... dallo stile della corrispondenza. Non potrebbe trattarsi di una caccia del tutto chimerica?»

Lampeth scrollò le spalle. «È sempre possibile, quando si va in cerca di quadri perduti. Ma non si faccia fuorviare dallo stile di Delia... ha appena superato col massimo dei voti gli esami d'un corso di storia dell'arte, ha venticinque anni ed è molto sveglia. Se fosse disposta a lavorare per me sarei ben felice di assumerla, se non altro per sottrarla alla concorrenza.»

«E le probabilità?»

«Cinquanta e cinquanta. No, diciamo settanta e trenta. In favore di mia nipote.»

«Bene. Proprio in questo momento ho disponibile l'uomo più adatto per l'incarico. Potremo metterci al lavoro immediatamente.»

Lampeth si alzò, esitò e aggrottò la fronte come se non sapesse come esprimersi. Lipsey attese, paziente.

«Ah... è importante che la ragazza non venga a sapere che sono stato io a richiedere l'indagine, capisce?»

«Certo» disse Lipsey, impassibile. «Questo è sottinteso.»

La galleria era piena di invitati che chiacchieravano, facevano tintinnare i bicchieri e lasciavano cadere sul pavimento la cenere dei sigari. Il ricevimento aveva lo scopo di far conoscere al pubblico una piccola collezione di espressionisti tedeschi che Lampeth aveva comprato in Danimarca. I quadri gli sembravano orribili; ma erano un buon acquisto. Gli invitati erano clienti, artisti, critici, storici d'arte. Alcuni erano venuti al solo scopo di farsi vedere alla Belgrave e far sapere al mondo che quello era il loro genere di ambiente; ma avrebbero finito per acquistare qualcosa, per dimostrare che non erano venuti soltanto per mettersi in mostra. Quasi tutti i critici avrebbero scritto un pezzo sui dipinti perché non potevano permettersi d'ignorare l'attività della Belgrave. Gli artisti venivano perché c'erano i *canapés* e il vino... lì si mangiava e si beveva gratis, e ad alcuni di loro questo faceva comodo. Le uniche persone che provavano un interesse autentico per i quadri erano gli storici d'arte e alcuni collezionisti seri.

Lampeth sospirò e diede un'occhiata furtiva all'orologio. Doveva passare un'altra ora prima che potesse andarsene senza dare nell'occhio. Sua moglie aveva smesso ormai da molto tempo di frequentare i ricevimenti nella galleria. Diceva che erano noiosissimi; e aveva ragione. Lampeth avrebbe preferito essere a casa sua in quel momento, con un bicchiere di porto in una mano e un libro nell'altra, seduto sulla prediletta poltrona di pelle con l'imbottitura di crine e il segno della bruciatura sul bracciolo dove posava sempre la pipa. Sua moglie sarebbe stata seduta di fronte a lui e Siddons sarebbe entrato a riattizzare il fuoco per l'ultima volta.

«Rimpiangi di non essere a casa tua, Charlie?» La voce accanto a lui spezzò i suoi pensieri. «Preferiresti essere seduto davanti al televisore a guardare Barlow?»

Lampeth sorrise con uno sforzo. Guardava raramente la televisione e lo indispettiva sentirsi chiamare Charlie da chiunque non fosse un vecchio amico. L'uomo al quale sorrideva non era neppure un amico: era il critico d'arte d'una rivista settimanale, un buon intenditore soprattutto per quanto riguardava la scultura, ma anche un seccatore tremendo. «Ciao, Jack, mi fa piacere che tu sia venuto» disse Lampeth. «Per la verità sono un po' stanco per questo genere di feste.»

«Come ti capisco» disse il critico. «Hai avuto una giornata faticosa? Hai dovuto lottare per ridurre a un paio di centinaia di sterline il prezzo di qualche povero pittore?»

Lampeth fece un altro sorriso forzato per rispondere all'insulto scherzoso. La rivista per cui scriveva il critico era di sinistra e si riteneva in dovere di disapprovare chiunque riusciva a guadagnare grazie alla cultura.

Scorse Willow che veniva verso di lui tra la folla degli invitati e lo accolse con sollievo. Il critico sembrò accorgersene e si scusò.

«Ti ringrazio di avermi salvato» disse Lampeth al socio, abbassando la voce.

«Non c'è di che, Lampeth. Sono venuto a dirti che Peter Usher è qui. Vuoi occupartene tu?»

«Sì. Senti, ho deciso di organizzare una mostra di Modigliani. Abbiamo i tre quadri di Lord Cardwell, i disegni, e questa mattina si è prospettata un'altra possibilità. Come nucleo è sufficiente. Vuoi informarti se si può trovare qualcosa d'altro?»

«Certo. Questo significa che la personale di Usher è saltata.»

«Sì, purtroppo. Non ci sarà un'altra eventualità ancora per diversi mesi. Glielo dirò. A lui non farà piacere ma non sarà un gran danno. Il suo talento finirà per affermarsi, a lungo andare, qualunque cosa facciamo.»

Willow annuì e si allontanò mentre Lampeth andava in cerca di Usher. Lo trovò in fondo alla galleria, seduto di fronte a uno dei quadri nuovi. Era in compagnia d'una donna, e avevano riempito un vassoio al buffet.

«Posso?» chiese Lampeth.

«Certo. I sandwich sono deliziosi» disse Usher. «Erano diversi giorni che non mangiavo caviale.»

Lampeth sorrise della battuta sarcastica e prese un quadratino di pane bianco. La donna osservò: «Peter si sforza di recitare la parte del giovane arrabbiato, ma è troppo vecchio per queste cose».

«Non conosceva ancora quella chiacchierona di mia moglie, vero?» disse Usher.

Lampeth rivolse alla donna un cenno di saluto. «Molto lieto» disse. «Siamo abituati a Peter, signora Usher. Tolleriamo il suo senso dello humor perché le sue opere ci piacciono molto.»

Usher accettò con garbo quel rimprovero e Lampeth intuì di averglielo rivolto nella maniera più appropriata: mimetizzato con le buone maniere e l'adulazione.

Usher finì un altro sandwich, bevve un po' di vino e chiese: «Allora, quando ci sarà la mia personale?».

«È appunto di questo che volevo parlarle» attaccò Lampeth. «Purtroppo dovremo rimandarla. Vede...»

Usher lo interruppe. Era arrossito di colpo dietro la barba alla nazzarena. «Non inventi scuse idiote... ha trovato qualcosa di meglio da esporre. Che cosa?»

Lampeth sospirò. Aveva sperato di evitarlo. «Una mostra di Modigliani. Ma non è l'unica ragione per...»

«Quanto tempo?» chiese Usher alzando la voce, mentre la moglie gli posava una mano sul braccio per calmarlo. «Di quanto tempo conta di rimandare la mia personale?»

Lampeth ebbe la sensazione nettissima che qualcuno lo fissasse alle spalle. Senza dubbio diversi invitati stavano osservando la scena. Sorrise e inclinò la testa con fare da cospiratore, per indurre Usher ad abbassare la voce. «Non saprei dirlo» mormorò. «Abbiamo un programma molto fitto. Spero che l'anno prossimo...»

«L'anno prossimo!» gridò Usher. «Gesù Cristo, Modigliani può fare a meno d'una mostra, ma io devo vivere! La mia famiglia deve mangiare!»

«La prego, Peter...»

«No! Non ho intenzione di star zitto!» Nella galleria era sceso il silenzio. Tutti seguivano incuriositi il litigio. Usher continuò a urlare: «Lo so che guadagnerà molto di più grazie a Modigliani, perché è morto. Non si renderà utile alla razza umana ma farà sensazione. Ci sono troppi profittatori come lei che dominano il mercato dell'arte, Lampeth.

«Ha un'idea dei prezzi che spuntavo prima di passare alla sua stramaledetta, boriosa galleria? Erano abbastanza alti perché mi fidassi a stipulare un mutuo. E la Belgrave non ha fatto altro che abbassare i miei prezzi e nascondere i miei quadri in modo che non li compri nessuno. Ne ho avuto abbastanza, Lampeth! Porterò le mie opere da qualche altra parte, e lei può mettersi in culo la sua fottuta galleria!»

Lampeth rabbrividì di fronte a quel linguaggio violento. Stava arrossendo come un peperone, e non poteva evitarlo.

Usher girò drammaticamente sui tacchi e uscì a precipizio. La folla degli invitati gli fece ala e lui passò a testa alta. La moglie lo seguì correndo per riuscire a stargli dietro e cercò di evitare gli sguardi dei presenti. Tutti guardarono Lampeth per vedere come avrebbe risolto l'incidente.

«Vogliate scusarlo» disse Lampeth. «Prego, continuate pure e non pensateci più.» Sfoggiò un ennesimo sorriso forzato. «Gradirei un altro bicchiere di vino, e spero che mi farete compagnia.»

A poco a poco gli invitati ripresero a parlare e la conversazione dilagò in un brusio incessante. La crisi era superata. Era stato un grave errore dare la notizia a Usher lì, durante il ricevimento: non c'era dubbio. Lampeth aveva preso la decisione al termine di una lunga giornata intensa. In avvenire sarebbe andato a casa presto o avrebbe incominciato a lavorare più tardi, decise. Era troppo vecchio per spremersi così.

Trovò un bicchiere di vino e lo vuotò d'un sorso: servì ad arrestare il sudore e il tremito alle ginocchia. Dio, com'era stato imbarazzante. Accidenti agli artisti.

3

Peter Usher appoggiò la bicicletta accanto alla vetrata della galleria Dixon & Dixon in Bond Street. Si tolse le mollette dai calzoni e scosse le gambe per eliminare le pieghe. Guardò l'immagine riflessa dal vetro: il modesto abito gessato era un po' gualcito; ma la camicia bianca, la cravatta e il panciotto gli conferivano una certa eleganza. Sudava. La pedalata da Clapham era stata lunga e faticosa ma non poteva permettersi la spesa del tragitto in metropolitana.

Trangugiò l'orgoglio, si ripromise di essere gentile, umile e calmo, ed entrò nella galleria.

Una ragazza carina, con occhiali e minigonna, gli venne incontro. Probabilmente guadagna più di me, pensò rabbiosamente Peter... poi si rammentò del proponimento e scacciò quel pensiero.

La ragazza sorrise con garbo. «Posso esserle utile, signore?»

«Vorrei vedere il signor Dixon, se è possibile. Mi chiamo Peter Usher.»

«Vuole accomodarsi? Vedo se il signor Dixon c'è.»

«Grazie.»

Peter sedette su una poltroncina di finta pelle verde e seguì con gli occhi la ragazza che andava alla scrivania e prendeva il telefono. Le vedeva le ginocchia, tra i cassetti sotto il piano della scrivania. Lei si spostò, allargò leggermente le gambe e mise in mostra l'interno della coscia. Usher si chiese se... Non fare l'idiota, si disse. Quella si aspetterebbe cocktail costosi, i posti migliori a teatro, Steak Diane e vino di Borgogna. Peter Usher poteva offrirle al massimo un film *underground* alla Roundhouse, e poi sarebbe andato a casa di lei con una bottiglia di Riesling iugoslavo da due litri. Non ce l'avrebbe mai fatta ad arrivare un centimetro al di là di quelle ginocchia.

«Prego, si accomodi nell'ufficio» disse la ragazza.

«Conosco la strada.» Usher si alzò. Varcò una porta e si avviò lungo un corridoio fino a un'altra porta. All'interno c'era una seconda segretaria. Tutte queste maledette segretarie, pensò: nessuna di loro sarebbe esistita se non ci fossero stati gli artisti. Questa era un po' più vecchia, altrettanto desiderabile e ancora più remota. «Il signor Dixon è occupatissimo, questa mattina» gli disse. «Se vuole accomodarsi, le farò sapere quando è libero.»

Peter sedette e si sforzò di non fissare la donna. Guardò i quadri alle pareti: paesaggi ad acquarello tutt'altro che eccezionali, il genere che lo annoiava. La segretaria aveva due seni abbondanti racchiusi in un reggiseno appuntito sotto il maglioncino sottile. Chissà, se si fosse alzata e avesse sfilato lentamente il maglioncino... Oh, Cristo, piantala, si disse Usher. Un giorno o l'altro avrebbe dovuto dipingere quelle sue fantasie, tanto per togliersele dalla testa. Naturalmente nessuno le avrebbe comprate, e Peter non avrebbe desiderato tenerle. Ma dipingerle gli avrebbe fatto bene.

Diede un'occhiata all'orologio: Dixon se la prendeva comoda. Potrei fare disegni pornografici per le riviste sconce... e magari guadagnerei piuttosto bene. Ma sarebbe prostituire il mio talento, pensò.

La segretaria sollevò il ricevitore rispondendo a un ronzio sommesso. «Grazie, signore» disse, posandolo di nuovo. Si alzò, girò intorno alla scrivania. «Prego» disse a Usher, e gli aprì la porta.

Dixon si alzò. Era un uomo alto e magro con gli occhiali a lunetta e l'aria del medico generico. Strinse la mano a Peter senza sorridere e lo invitò sbrigativamente a sedersi.

Puntellò i gomiti sulla scrivania d'antiquariato e chiese: «Dunque, cosa posso fare per lei?».

Peter aveva imparato a memoria il discorso durante il tragitto in bicicletta. Era sicuro che Dixon l'avrebbe accettato; ma doveva stare molto attento a non offenderlo. «Da un po' di tempo non sono soddisfatto del modo in cui la Belgrave si occupa di me. Vorrei sapere se le interesserebbe esporre le mie opere.»

Dixon inarcò le sopracciglia. «È una cosa un po' improvvisa, non è vero?»

«Può sembrarlo, certo. Ma come ho detto, ci sto pensando da diverso tempo.»

«Giusto. Vediamo, che cosa ha fatto di recente?»

Peter si chiese se Dixon era venuto a sapere della scenata alla galleria, la sera prima. Anche se lo sapeva, sembrava intenzionato a non parlarne. «"Linea bruna" è stato venduto per seicento sterline e "Due scatole" per cinquecentocinquanta.» Detto così faceva un bell'effetto: ma erano gli unici quadri che aveva venduto negli ultimi diciotto mesi.

«Molto bene» commentò Dixon. «Ora, quali sono le sue difficoltà con la Belgrave?»

«Non lo so, di preciso» rispose sinceramente Peter. «Io faccio il pittore, non il gallerista. Ma mi sembra che non promuovano abbastanza le mie opere.»

«Mmm.» Dixon assunse un'espressione meditabonda: sta facendo il difficile, pensò Peter. «Ecco, signor Usher, purtroppo non credo che possiamo inserirla nel nostro programma. È un vero peccato.»

Peter lo fissò sgomento. «Come sarebbe a dire? Non può inserirmi nel programma? Due anni fa mi volevano tutte le gallerie di Londra!» Si scostò i capelli dalla faccia. «Cristo! Non può rifiutarmi!»

Dixon si agitò nervosamente, come se avesse paura di un'esplosione di rabbia. «Ritengo che per diverso tempo lei sia stato sopravvalutato» disse in tono sbrigativo. «E penso che resterebbe insoddisfatto di noi come lo è della Belgrave, perché il suo problema di fondo non riguarda la galleria ma le sue opere. Con l'andar del tempo i prezzi saliranno ancora, però al momento sono poche le sue tele che meritano più di trecentoventicinque sterline. Mi dispiace, ma questa è la mia risposta.»

Usher divenne quasi supplichevole. «Mi ascolti... se lei mi rifiuta, può darsi che mi trovi costretto a fare l'imbianchino. Non capisce? Ho bisogno d'una galleria!»

«Riuscirà a sopravvivere, signor Usher. Anzi, se la caverà benissimo. Tra dieci anni sarà il più famoso pittore d'Inghilterra.»

«E allora perché non mi accetta?»

Dixon sospirò, spazientito. Quella conversazione gli sembrava indisponente. «Per ora la nostra galleria non è adatta a lei. Come sa, ci occupiamo soprattutto di quadri e sculture della fine dell'Ottocento. Abbiamo sotto contratto due soli artisti viventi, e sono ormai affermati. Inoltre, il nostro stile non è il suo.»

«Cosa diavolo vorrebbe dire?»

Dixon si alzò. «Signor Usher, ho cercato di rifiutare con cortesia, di esporle in modo ragionevole la mia posizione senza parole crude ed espressioni offensive... più cortesemente, ritengo, di quanto lei sia disposto a comportarsi con me. Tuttavia mi ha costretto a essere molto franco. Ieri sera ha fatto una scena tremenda e imbarazzante alla Belgrave. Ha insultato il titolare e scandalizzato gli invitati. Non voglio scene del genere alla Dixon's. Perciò, buongiorno.»

Peter si alzò, protese in avanti la testa con aria aggressiva, fece per dire qualcosa, cambiò idea, girò sui tacchi e uscì.

Attraversò il corridoio e l'atrio e uscì in strada. Montò in bicicletta e alzò gli occhi verso le finestre.

«Va' a farti fottere anche tu!» urlò. E si allontanò pedalando.

Sfogò la rabbia sui pedali, pigiando ferocemente per accelerare. Non badò ai semafori, ai sensi unici, alle corsie riservate ai mezzi pubblici. Agli incroci saliva sui marciapiedi mettendo in fuga i pedoni. Sembrava un pazzo con i capelli al vento, la lunga barba e il sobrio doppiopetto.

Dopo un po' si ritrovò lungo l'Embankment, vicino alla stazione Victoria. La furia s'era esaurita. Era stato un errore entrare nel giro dei mercanti d'arte, concluse. Dixon aveva ragione: lui aveva uno stile diverso. All'inizio la prospettiva era apparsa allettante. Un contratto con una galleria illustre e rispettabile sembrava offrire la sicurezza, ma era una cosa dannosa, per un giovane pittore. Forse aveva influito sul suo lavoro.

Avrebbe dovuto continuare con le gallerie fuori dai giri consueti, i giovani ribelli come la Sixty-Nine, che era stata una vera forza rivoluzionaria per un paio d'anni prima di essere costretta a chiudere.

Il subconscio lo stava sospingendo verso King's Road, e all'improvviso Peter Usher ne comprese la ragione. Aveva sentito dire che Julian Black, un conoscente dei tempi della scuola d'arte, stava per aprire una galleria nuova, la Black Gallery. Julian era un iconoclasta che disprezzava le tradizioni del mondo dell'arte e amava appassionatamente la pittura anche se come pittore non valeva nulla.

Peter frenò di colpo davanti a un negozio. Le vetrine erano imbiancate e sul marciapiedi c'era un mucchio di assi. Su una scala a pioli un pittore d'insegne stava tracciando il nome. Finora aveva scritto "The Black Ga".

Peter parcheggiò la bicicletta. Julian sarebbe stato l'ideale, pensò. Senza dubbio era in cerca di artisti e sarebbe stato felice di acquisire un personaggio noto come Peter Usher.

La porta non era chiusa a chiave e Peter entrò, camminando su un telone sporco di vernice. Le pareti dello stanzone erano dipinte di bianco, e un elettricista stava fissando al soffitto una serie di spot. In fondo, un operaio stendeva la moquette sul cemento.

Peter vide subito Julian. Stava accanto alla porta e parlava con una donna il cui viso era vagamente familiare. Era vestito di velluto nero e portava una cravatta a farfalla. I capelli tagliati impeccabilmente gli arrivavano ai lobi degli orecchi. Aveva l'aspetto classico dell'ex allievo d'una dispendiosa scuola privata.

Quando Peter entrò, si girò con aria compita, come se stesse per chiedere: "Desidera?". La sua espressione cambiò di colpo. «Dio, Peter Usher! Che sorpresa! Benvenuto alla Black Gallery!»

Si strinsero la mano. Peter disse: «Vedo che te la passi bene».

«È un'illusione indispensabile. Tu, invece... santo cielo, hai una casa tua, una moglie e una bambina... ti rendi conto che dovresti far la fame in una soffitta?» Julian rise.

Peter lanciò un'occhiata interrogativa alla donna.

«Ah, scusami» disse Julian. «Questa è Samantha. Conoscerai il suo viso, ovviamente.»

«Salve» disse la donna.

«Ma certo!» esclamò Peter. «È l'attrice! Felicissimo!» Le strinse la mano. Poi si rivolse a Julian. «Senti, mi chiedevo se noi due non potremmo parlare d'affari per un momento.»

Julian lo guardò, perplesso e un po' diffidente. «Sicuro.»

«Io devo scappare» disse Samantha. «A presto.»

Julian le aprì la porta, tornò indietro e sedette su una cassa da imballaggio. «Bene, vecchio mio. Spara.»

«Ho lasciato la Belgrave» disse Peter. «E adesso sto cercando un altro posto dove appendere i miei sgorbi. Penso che qui potrebbe andare. Ricordi come ci siamo trovati bene a lavorare insieme quando abbiamo organizzato il Ballo degli Stracci? Sono convinto che potremmo continuare magnificamente.»

Julian aggrottò la fronte e guardò la vetrina. «In questi ultimi tempi non hai venduto molto, Peter.»

Peter alzò le braccia. «Oh, andiamo, Julian, non puoi respingermi così! Per te sarei un colpo gobbo.»

Julian gli posò le mani sulle spalle. «Lascia che ti spieghi una cosa, vecchio mio. Avevo ventimila sterline per mettere in piedi la galleria. Sai quanti ne ho già spese? Diciannovemila. Sai quanti quadri ho comprato con questa somma? Neppure uno.»

«E come l'hai spesa?»

«Deposito e affitto, arredamento, sistemazione dei locali, personale, anticipo per questo e per quello, pubblicità. È un campo difficile, Pete. Ora, se ti accettassi dovrei darti uno spazio decente... non solo perché siamo amici, ma perché altrimenti comincerebbe a circolare la voce che ti svendo e questo mi rovinerebbe la reputazione... sai che razza d'ambiente è il nostro.»

«Lo so.»

«Ma le tue opere non si vendono. Pete, non posso permettermi di dedicare spazio prezioso a quadri che non riuscirei a vendere. Nel primo semestre di quest'anno sono fallite a Londra quattro gallerie. E io potrei fare la stessa fine.»

Peter annuì, tristemente. Non era in collera. Julian non era uno dei grassi parassiti del mondo dell'arte... era ai piedi della piramide, come gli artisti.

Non c'era altro da aggiungere. Peter si avviò alla porta a passo lento. Quando l'aprì, Julian gli gridò: «Mi dispiace».

Peter annuì di nuovo e uscì.

Alle sette e mezzo sedette su uno sgabello, in aula, mentre gli allievi entravano. Quando aveva accettato di insegnare arte al politecnico locale non aveva immaginato che un giorno sarebbe stato ben lieto di incassare quelle venti sterline la settimana. L'insegnamento era una noia e in ogni classe non c'era mai più di un giovane che mostrasse un barlume di talento: ma lo stipendio serviva a pagare il mutuo e il conto del negozio di alimentari... appena appena.

Rimase in silenzio mentre gli allievi si piazzavano ai cavalletti in attesa che lui desse il via o incominciasse una lezione. Prima di venire a scuola aveva bevuto un paio di drink: la spesa di quei pochi scellini gli era sembrata trascurabile in confronto al disastro che s'era abbattuto sulla sua carriera.

Era un insegnante valido, e lo sapeva. Gli allievi apprezzavano il suo entusiasmo sincero e la franchezza a volte addirittura crudele con cui giudicava i loro lavori. E sapeva aiutarli a migliorare, persino quelli che non avevano nessun talento: indicava i difetti tecnici e mostrava piccoli trucchi utili, e faceva in modo che li ricordassero.

Molti aspiravano a qualificarsi per un corso di Belle Arti. Che illusi. Qualcuno aveva il dovere di dirgli che sarebbe stato tempo sprecato... che avrebbero dovuto accontentarsi di coltivare la pittura come hobby e di lavorare come bancari o programmatori di computer.

Diavolo, qualcuno doveva pur dirglielo.

C'erano tutti. Peter si alzò.

«Questa sera parleremo del mondo dell'arte» disse. «Immagino che alcuni di voi sperino di entrarvi molto presto.» Uno o due allievi annuirono.

«Bene, ecco il consiglio migliore che vi si possa dare. Lasciate perdere.

«Cercherò di spiegarmi meglio. Un paio di mesi fa, a Londra sono stati venduti otto quadri per un totale di quattrocentomila sterline. Due di quei pittori erano morti in miseria. Sapete come funziona? Quando un artista è vi-

vo, si dedica all'arte e riversa il proprio sangue sulle tele.»
Peter annuì, ironicamente. «Vi sembra melodrammatico,
eh? Ma è vero. Vedete, lui pensa soltanto a dipingere. Ma
i ricconi, le signore della buona società, i galleristi e i collezionisti cercano investimenti e deduzioni fiscali... E la
sua opera non è di loro gradimento. Vogliono qualcosa di
sicuro e di familiare e per giunta non capiscono niente
dell'arte. Perciò non comprano, e il pittore muore giovane. Passa qualche anno e due o tre persone dotate di di-
scernimento incominciano a capire il suo messaggio e
comprano i suoi quadri... dagli amici ai quali li aveva regalati, dai rigattieri, dalle piccole gallerie oscure di Bour-
nemouth e Watford. All'improvviso l'artista diventa di
moda e garantisce un buon investimento. I suoi quadri
spuntano prezzi astronomici... cinquantamila, duecento-
mila sterline, fate voi. E chi è che guadagna? I mercanti
d'arte, gli investitori furbi, e coloro che avevano avuto il
buon gusto di acquistare le opere prima che salissero alle
stelle. E le case d'aste e il loro personale, le gallerie e le loro segretarie. Tutti tranne l'artista... che è morto. Intanto, i giovani artisti d'oggi lottano per sopravvivere. In futuro, anche i loro quadri si venderanno per cifre folli...
ma al momento questo non gli rende nulla.

«Magari penserete che il governo dovrebbe prendersi
una percentuale sulla compravendita delle opere d'arte e
usarla per costruire studi da affittare agli artisti per una
pigione modesta. Invece no. L'artista è sempre il perden-
te.

«Permettete che vi parli di me. In un certo senso rap-
presentavo un'eccezione... le mie opere stavano incominciando a vendersi bene sebbene fossi vivo. Ho fatto conto
su questo: ho contratto un mutuo per la casa e io e mia

moglie abbiamo avuto una figlia. Ero un pittore in piena ascesa. Ma poi le cose sono andate male. Dicono che ero "sopravvalutato". Sono passato di moda. Le mie maniere non erano gradite nella buona società. Adesso mi ritrovo poverissimo. Mi hanno buttato nell'immondezzaio. Oh, ho ancora un talento enorme, dicono. Fra dieci anni arriverò in vetta. Ma intanto posso morire di fame o andare a scavare fossi o rapinare banche. Non gli importa niente... vedete...» S'interruppe. Si accorse di aver parlato a lungo, accalorandosi. Gli allievi ascoltavano ammutoliti di fronte a quella furia appassionata, a quella confessione senza ritegno.

«Vedete» disse, «l'ultima cosa che gli interessa è l'uomo che si serve del dono accordatogli da Dio per produrre il miracolo d'un quadro... l'artista.»

Sedette sullo sgabello e fissò il banco che aveva davanti. Era un vecchio banco di scuola con tante iniziali incise e macchie d'inchiostro assorbite dalle fibre del legno. La radicatura fluiva come in un quadro op-art.

Gli allievi si resero conto che la lezione era terminata. Si alzarono uno a uno, presero la loro roba e uscirono. Dopo cinque minuti, nell'aula era rimasto soltanto Peter. Appoggiò la testa sul banco e chiuse gli occhi.

Era buio quando rientrò nella casetta di Clapham. Era stato difficile ottenere il mutuo anche se non costava molto, perché era piuttosto vecchia. Ma c'erano riusciti.

Peter s'era messo al lavoro e aveva ricavato uno studio dal piano superiore, abbattendo le pareti divisorie e aprendo un lucernario. Dormivano tutti e tre nella stanza da letto al piano terreno. C'erano anche un soggiorno e la cucina, il bagno e il gabinetto in un'estensione sul retro.

Entrò in cucina e baciò Anne. «Mi sono sfogato a strillare con gli studenti» le disse.

«Non importa.» Anne sorrise. «Mitch il Matto è venuto a tirarti su di morale. È nello studio. Sto preparando qualche sandwich per tutti.»

Peter salì la scala. Mitch il Matto era Arthur Mitchell, che aveva studiato con Peter allo Slade e poi s'era dedicato all'insegnamento, per non tentare l'avventura rischiosa dell'artista a tempo pieno. Come Peter disprezzava il mondo dell'arte e le sue ipocrisie.

Quando Peter entrò, lo trovò intento a osservare una tela finita da poco.

«Cosa ne pensi?» chiese Peter.

«Ecco una domanda sbagliata» rispose Mitch. «Mi invita a lanciarmi in uno sproloquio sul movimento, la pennellata, l'impostazione e l'espressività emotiva. Faresti meglio a domandare se sarei disposto ad appenderlo in casa mia.»

«Saresti disposto ad appenderlo in casa tua?»

«No. Non sarebbe intonato al resto.»

Peter rise. «Hai intenzione di aprire la bottiglia di scotch che hai portato?»

«Sicuro. Facciamo una bella veglia funebre.»

«Anne ti ha detto?»

«Sì. Adesso hai scoperto per esperienza personale quello che io ti avevo detto parecchio tempo fa. Comunque, certe scoperte ognuno le deve fare da solo.»

«Già.» Peter prese da uno scaffale due bicchieri sporchi e Mitch versò il whisky. Misero un disco di Hendrix e per un po' ascoltarono in silenzio i fuochi d'artificio della chitarra. Anne portò i sandwich al formaggio, e tutti e tre si accinsero a sbronzarsi con impegno.

«La cosa peggiore» stava dicendo Mitch, «il nocciolo della merda, per così dire...»

Peter e Anne risero della metafora sgangherata. «Continua» invitò Peter.

«La fregatura fondamentale è l'unicità di un'opera. Ci sono pochissimi quadri davvero unici, a pensarci bene. A meno che non contengano qualcosa di estremamente difficile, come il sorriso della Gioconda, tanto per fare l'esempio più celebre... di solito possono venire ripetuti.»

«Non esattamente» intervenne Peter.

«Esattamente, invece, per ciò che conta. Qualche millimetro di spazio, una differenza di colore che si nota appena... non hanno importanza nel quadro da cinquantamila sterline. Mio Dio, Manet non dipingeva mai una copia esatta del quadro ideale che aveva in mente... sbatteva il colore in modo più o meno approssimativo dove pensava che dovesse andare, e lo mischiava fino a quando gli sembrava che fosse come doveva essere.

«Prendi la *Vergine delle Rocce*. Ce n'è una al Louvre e un'altra qui a Londra alla National Gallery. Tutti concordano che uno dei due quadri non può essere autentico... ma quale? Il falso è quello del Louvre, dicono gli esperti inglesi. No, è quello di Londra, ribattono i francesi. Non lo sapremo mai... ma chi se ne frega? Basta guardarli per capire quanto sono grandi. Eppure, se si scoprisse con certezza che uno è falso, nessuno correrebbe più ad ammirarlo. Frescacce!»

Mitch bevve e si versò altro whisky. Anne disse: «Non ti credo. Per imitare alla perfezione un grande quadro sarebbe necessario avere quasi lo stesso genio che ci vorrebbe per dipingerlo la prima volta».

«Che idiozia!» esplose Mitch. «Te lo dimostrerò. Dammi una tela e ti dipingerò un Van Gogh in venti minuti.»

«Ha ragione lui» disse Peter. «E saprei farlo anch'io.»

«Meno rapidamente di me, però» disse Mitch.

«Più rapidamente.»

«E va bene.» Mitch si alzò. «Facciamo la Corsa al Capolavoro.»

Anche Peter balzò in piedi. «Ci sto. E adesso... prendiamo due fogli di carta... non possiamo sprecare le tele.»

Anne rise. «Siete matti tutti e due.»

Mitch fissò i fogli alla parete con le puntine mentre Peter andava a prendere due tavolozze.

Mitch disse: «Scegli un pittore, Anne».

«D'accordo... Van Gogh.»

«Devi darci anche un titolo.»

«Ehm... il *Becchino*.»

«E adesso di': pronti, attenti, via!»

«Pronti, via!»

I due uomini incominciarono a dipingere freneticamente. Peter delineò una figura appoggiata a un badile, schizzò qualche ciuffo d'erba intorno ai piedi e prese a tratteggiare una tuta. Mitch incominciò dalla faccia: una faccia stanca e rugosa, da vecchio contadino. Anne rimase a guardare sbalordita mentre i due quadri prendevano forma.

Impiegarono più di venti minuti. Si lasciarono assorbire dal lavoro e a un certo punto Peter andò allo scaffale e aprì un volume a una tavola a colori.

Il becchino di Mitch era raffigurato nello sforzo di premere il badile nella terra con il piede, e la figura massiccia e sgraziata curva in avanti. Impiegò qualche minuto osservando il foglio e aggiungendo altri tocchi.

Peter dipinse uno scarabocchio nero in un angolo del suo foglio. All'improvviso Mitch gridò: «Finito!».

Peter si voltò a guardare. «Porco» disse. Guardò di nuovo. «No, non hai finito. Non hai messo la firma. Ah-ah!»

«Balle!» Mitch si chinò sul foglio e si accinse a firmare. Peter finì di firmare il suo. Anne rideva.

Indietreggiarono tutti e due nello stesso istante. «Ho vinto io!» gridarono all'unisono, e scoppiarono in una risata.

Anne batté le mani. «Bene» disse. «Se mai ci ridurremo alla fame, ecco trovato il modo di arrangiarci.»

Peter stava ancora ridendo. «È un'idea» esclamò. Guardò Mitch. I loro sorrisi si afflosciarono lentamente, comicamente. Fissarono i due fogli appesi alla parete.

Adesso la voce di Peter era bassa, fredda e seria. «Gesù Cristo» disse. «È un'idea.»

4

Julian Black era un po' nervoso mentre entrava nella redazione. Aveva parecchi motivi per essere nervoso, in quei giorni: la galleria, il denaro, Sarah, i suoceri. In fondo, era sempre lo stesso problema.

L'atrio marmoreo era maestoso, con il soffitto altissimo, i bronzi lucidi, le pareti affrescate. S'era aspettato, vagamente, che la redazione d'un giornale fosse modesta, disordinata e animatissima; e invece sembrava il vestibolo d'un bordello d'epoca.

Un cartello a lettere dorate accanto al cancello di ferro battuto dell'ascensore indicava ai visitatori che cosa avrebbero trovato a ogni piano. Nel palazzo avevano sede un quotidiano del mattino e uno della sera, oltre ad alcune riviste.

«Desidera, signore?» Julian si voltò e vide un usciere in uniforme.

«Vorrei vedere il signor Jack Best» disse Julian.

«Le dispiace compilare il modulo, per favore?»

Un po' perplesso, Julian seguì l'usciere a una scrivania in un angolo dell'atrio e si vide consegnare un moduletto verde con gli spazi per scrivere il suo nome, il nome della persona con cui voleva parlare e il motivo della visita. Probabilmente era una forma di selezione indispensabile, pensò magnanimamente, e riempì il modulo con la Parker d'oro. Chissà quanti tipi eccentrici si presentavano nella redazione di un giornale.

Inoltre quel sistema ti faceva sentire privilegiato, si disse, se venivi ammesso a parlare con i giornalisti. Mentre attendeva che il foglietto venisse consegnato a Best si chiese se era stato davvero opportuno venire di persona. Forse sarebbe stato meglio spedire un comunicato stampa. Si passò una mano sui capelli e si assestò nervosamente la giacca.

Un tempo, niente aveva avuto il potere di farlo innervosire. Erano passati tanti anni, ormai. Era stato campione di mezzofondo della scuola, capo prefetto, responsabile del gruppo dei dibattiti. Allora sembrava che non potesse far altro che vincere. Poi s'era dedicato all'arte. Per l'ennesima volta, Julian fece risalire tutte le sue difficoltà a quella decisione assurda, irrazionale. Da quel giorno non aveva fatto altro che perdere. L'unico trionfo era stato la conquista di Sarah; ma si era rivelata una vittoria fasulla. Sarah e le sue Parker d'oro, pensò. Si accorse che stava facendo scattare ossessivamente il pulsante della penna a sfera e la rimise nel taschino con un sospiro esasperato. Sarah e tutta la sua roba d'oro, e la sua Mercedes, e i suoi abiti da sera e il suo stramaledetto genitore.

In cima alla scala marmorea apparve un paio di mocassini scalcagnati che incominciarono a scendere i gradini, seguiti da un paio di calzoni di gabardine marrone senza la piega e da una mano ingiallita dalla nicotina che scivolava lungo il mancorrente di ottone. L'uomo era magro e aveva l'aria piuttosto impaziente. Diede un'occhiata al foglietto verde che teneva tra le dita e si avvicinò a Julian.

«Il signor Black?» chiese.

Julian tese la mano. «Molto lieto, signor Best.»

Best si scostò dalla faccia una lunga ciocca di capelli neri. «Desidera?» disse.

Julian si guardò intorno. Era evidente che Best non intendeva invitarlo a salire nel suo ufficio e neppure a sedersi. Attaccò, deciso.

«Sto per aprire una nuova galleria in King's Road» disse. «E naturalmente, come critico d'arte del "London Magazine" lei sarà invitato all'inaugurazione. Tuttavia mi chiedevo se fosse possibile parlarle un po' delle finalità della galleria.»

Best annuì senza sbilanciarsi. Julian attese, sperando che lo pregasse di salire. Best continuò a tacere.

«Ecco» proseguì Julian, «mi propongo di non legarmi a una scuola o a un gruppo artistico particolare, e di mettere invece lo spazio a disposizione di tutti quei movimenti marginali... quel tipo di produzione troppo eccentrica per le gallerie già esistenti. Artisti giovani dalle idee nuove e radicali.» Julian si accorse che Best stava già incominciando ad annoiarsi.

«Senta, posso invitarla a bere qualcosa?»

Best diede un'occhiata all'orologio. «I bar sono chiusi» disse.

«Allora... ehm... un caffè?»

Un'altra occhiata all'orologio. «Per la verità, credo che sarebbe meglio se ne parlassimo quando aprirà la galleria. Mi mandi l'invito e un comunicato stampa. E poi vedremo se sarà possibile incontrarci più tardi.»

«Oh. D'accordo» disse Julian. Si sentiva annientato.

Best gli porse la mano. «Grazie della visita» disse.

«Già.» Julian se ne andò.

S'incamminò verso Fleet Street e si chiese che errore aveva commesso. Era chiaro che avrebbe dovuto rinunciare al suo piano di andare a trovare tutti i critici d'arte di Londra. Avrebbe dovuto scrivere e spedire un breve promemoria sui concetti ispiratori della Black Gallery. Sarebbero venuti tutti al ricevimento... ci sarebbe stato da bere gratis, e sapevano che avrebbero trovato amici e colleghi.

Dio, purché venissero davvero al ricevimento. Sarebbe stato un disastro se non fossero comparsi.

Non riusciva a capire perché Best fosse tanto blasé. Non capitava tutti i giorni e neppure tutti i mesi che a Londra si inaugurasse una nuova galleria. Certo, i critici dovevano andare a tante mostre, e quasi tutti avevano pochissimo spazio a disposizione ogni settimana. Comunque, si poteva pensare che sarebbero venuti a dare un'occhiata, almeno una volta. Forse Best era un caso particolare, pensò speranzoso.

Non c'era più nulla che si trasformasse in oro. Julian tornò con il ricordo al tempo in cui aveva incominciato a perdere il suo tocco magico. Sostò a una fermata dell'autobus e si mise in coda, a braccia conserte, continuando a riflettere.

Era stato alla scuola d'arte, dove aveva scoperto che anche tutti gli altri erano abilissimi nello sfoggiare il suo stile di affettata noncuranza hippy, così utile nell'ultimo paio d'anni alla scuola privata. Tutti gli studenti d'arte conoscevano Muddy Waters e Allen Ginsberg, Kierkegaard e l'anfetamina, il Vietnam e il presidente Mao. E c'era di peggio: tutti sapevano dipingere... ma Julian no.

All'improvviso aveva scoperto di non avere stile né talento. Eppure aveva perseverato, aveva superato gli esami. Non era servito a molto. Aveva visto i compagni veramente dotati, come Peter Usher, che passavano alla Slade o ad altre scuole, mentre lui doveva affannarsi per trovare un lavoro.

La fila si mosse convulsamente. Julian alzò la testa e vide l'autobus che aspettava fermo accanto al marciapiedi. Balzò a bordo e salì sull'imperiale.

Lavorava quando aveva conosciuto Sarah. Un vecchio compagno di scuola era impiegato in una casa editrice e gli aveva proposto di illustrare un libro per ragazzi. L'acconto gli aveva permesso di far credere a Sarah che era un artista di successo. Quando lei aveva scoperto la verità era ormai troppo tardi... anche per suo padre.

La conquista di Sarah lo aveva indotto a credere, per qualche tempo, di aver ritrovato il vecchio tocco magico. Poi tutto era andato a rotoli. Julian scese dall'autobus augurandosi di non trovarla in casa.

La casa si trovava a Fulham, anche se Sarah si ostinava a dire che era a Chelsea. L'aveva comprata il padre, e Julian era costretto ad ammettere che il vecchiardo aveva scelto bene. Era piccola, tre stanze da letto, due sale di rappresentanza e uno studio; ma era ultramoderna, tutta cemento e alluminio. Julian aprì il portoncino e salì la mezza rampa di scale che conduceva nel soggiorno.

Tre delle pareti erano grandi vetrate. Una, purtroppo, era affacciata sulla strada e un'altra su una fila di casette a schiera. Ma la terza vetrata dava su un giardinetto, tenuto in ordine da un giardiniere che veniva venti ore la settimana e passava quasi tutto il tempo a fumare sigarette arrotolate a mano e a tosare il prato non più grande di un francobollo. Adesso, il sole pomeridiano entrava allegramente e conferiva toni dorati al velluto marrone del salotto.

Sarah ornava con la sua presenza una delle póltrone ampie e basse. Julian si chinò a sfiorarle la guancia con un bacio.

«Buongiorno» disse lei.

Julian resistette alla tentazione di sbirciare l'orologio. Erano quasi le cinque, lo sapeva, ma Sarah non si era alzata prima di mezzogiorno.

Le sedette di fronte. «Cosa fai di bello?» chiese. Lei alzò le spalle. Teneva con la destra una sigaretta e con la sinistra un bicchiere. Non faceva nulla. Julian non finiva mai di stupirsi della sua capacità di non far nulla per ore e ore.

Sarah notò che lui stava sbirciando il bicchiere. «Vuoi bere qualcosa?» domandò.

«No.» Poi Julian cambiò idea. «Bene, ti farò compagnia.»

«Vado io.» Sarah si alzò e andò al bar. Sembrava che stesse molto attenta dove metteva i piedi. Quando gli versò la vodka ne fece traboccare un po' sul ripiano lucido.

«Da quanto hai incominciato a bere?» le chiese.

«Oh, Cristo» disse Sarah. Sulle sue labbra, l'imprecazione aveva un suono immondo. Era una donna che sapeva caricare di significato le bestemmie. «Non incominciare.»

Julian represse un sospiro. «Scusa» disse. Prese il bicchiere che lei gli porgeva e bevve un sorso.

Sarah accavallò le gambe e lasciò che la vestaglia si schiudesse e mettesse in mostra un polpaccio ben modellato. Quelle gambe bellissime erano state la prima cosa che

Julian aveva notato. «Le arrivano alle spalle» aveva confidato maliziosamente a un amico, in occasione di quella prima festa. Da allora, era sempre stato ossessionato dalla statura di Sarah: era cinque centimetri più alta di lui anche senza gli incredibili zatteroni.

«Com'è andata?» chiese lei.

«Male. Ho avuto l'impressione che mi snobbasse.»

«Oh, povero Julian, sempre snobbato.»

«Non avevamo deciso di non aprire le ostilità?»

«Giusto.»

Julian continuò: «Spedirò i comunicati stampa e dovrò augurarmi che quelli vengano all'inaugurazione. Sarà un'impresa».

«E perché?»

«Per via dei quattrini, ecco perché. Sai che cosa dovrei fare?»

«Piantare tutto quanto.»

Julian non raccolse la frecciata. «Offrire agli invitati sandwich al formaggio e birra alla spina, e spendere i quattrini risparmiati per comprar quadri.»

«Non ne hai comprati abbastanza?»

«Non ne ho comprato neppure *uno*» disse Julian. «Tre pittori si sono impegnati a lasciarmi esporre le loro opere a percentuale... se li vendo, guadagnerò il dieci per cento. Sarebbe meglio se li comprassi direttamente. Allora, se l'artista ha successo, io guadagno soldi a palate. È così che funzionano queste cose.»

Vi fu un silenzio. Sarah non fece commenti. Dopo un po' Julian disse: «Ho bisogno di altre duemila sterline».

«Hai intenzione di chiederle a papà?» C'era una sfumatura di disprezzo nella voce di lei.

«Non ne ho il coraggio.» Julian si rincantucciò sulla

poltrona e trangugiò una lunga sorsata di vodka and tonic. «Non è tanto chiedere che mi dispiace... è la certezza
che dirà di no.»

«E a ragione. Mio Dio, non so proprio che cosa lo abbia convinto a foraggiare la tua avventura.»

Julian non abboccò alla provocazione.

«Non lo so neppure io» disse. Poi prese il coraggio a
due mani. «Senti, non potresti rimediare qualche centinaio di sterline?»

Negli occhi di Sarah passò un lampo. «Piccolo stupido
bastardo. Scrocchi ventimila sterline a mio padre, vivi
nella casa che ha comprato lui, mangi perché sono io a pagare, e vieni ancora a mendicare quattrini! Ho appena
quanto mi basta per vivere e tu vuoi portarmelo via. Cristo!» Distolse il viso con un'espressione di disgusto.

Ma ormai Julian s'era lanciato... non aveva niente da
perdere. «Senti, potresti vendere qualcosa» implorò. «La
tua macchina basterebbe per sistemare la galleria come si
deve. Tanto la usi di rado. Oppure qualcuno dei gioielli
che non porti mai.»

«Mi fai schifo.» Sarah tornò a fissarlo e contrasse le
labbra in una smorfia. «Non sei capace di guadagnare,
non sai dipingere, non sai mettere in piedi una stramaledetta galleria...»

«Sta zitta!» Julian si alzò di scatto. Era sbiancato per la
rabbia. «Sta zitta!» gridò.

«E sai cos'altro non puoi fare, vero?» disse lei, incal-
zandolo senza pietà, rigirando il coltello nella piaga per
vederla sanguinare di nuovo. «Non puoi scopare!»
Quell'ultima parola gliela gettò in faccia con la violenza
d'uno schiaffo. Si alzò, slacciò la cintura della vestaglia e
la lasciò scivolare sul pavimento. Si sollevò i seni con le

mani, accarezzandoli con le dita allargate. Lo guardò negli occhi.

«Potresti farlo, adesso?» chiese a voce bassa. «Ci riusciresti?»

La rabbia e la frustrazione lo ammutolirono. Le labbra esangui si aggricciarono sui denti in un rictus di furore umiliato.

Sarah si portò una mano sul pube e spinse in avanti i fianchi. «Provaci, Julian» disse con lo stesso tono seducente. «Prova a farlo drizzare per me.»

La voce di lui era per metà un sussurro e per metà un singulto. «Carogna. Carogna maledetta.»

Julian si precipitò giù per la scala sul retro e scese nel garage. Il ricordo del litigio era un nodo che gli serrava lo stomaco. Fece scattare l'interruttore che sollevava la saracinesca e salì sulla macchina di Sarah. Lei era il tipo che non toglieva mai la chiave.

Julian non le aveva mai chiesto in prestito la macchina prima di quel giorno; ma adesso la prese senza esitare. E se lei non fosse stata d'accordo, pazienza.

«Vacca» disse a voce alta mentre saliva la breve rampa e svoltava sulla strada. Si diresse a sud, verso Wimbledon. Ormai avrebbe dovuto essere abituato a quelle liti; avrebbe dovuto acquisire una certa immunità. Invece quelle frecciate lo ferivano ancora di più con il passare degli anni.

Il torto era di Sarah almeno quanto suo, pensò Julian. Sembrava che lei trovasse una soddisfazione maligna nella sua impotenza. Prima di lei aveva avuto un paio di ragazze, e forse le sue prestazioni non erano state spettacolose, ma almeno era riuscito a fare quanto era necessario.

C'entravano per qualcosa le stesse qualità che l'avevano attratto verso Sarah... la perfezione del corpo ben modellato, i modi aristocratici, l'ambiente ricco cui apparteneva.

Ma Sarah avrebbe potuto risolvere tutto. Sapeva che cosa era necessario, e avrebbe potuto farlo. La pazienza, la gentilezza e un atteggiamento meno isterico nei confronti del sesso lo avrebbero guarito già da anni. Ma lei non gli aveva dato altro che indifferenza e disprezzo.

Forse lo voleva impotente. Forse questo la proteggeva dal sesso e mascherava le sue carenze. Julian scacciò quel pensiero. No, cercava semplicemente di eludere la responsabilità scaricandola sulla moglie.

Entrò nel viale della casa del suocero e fermò la macchina sulla ghiaia ben rastrellata davanti al portico. Suonò, e venne ad aprirgli una cameriera.

«Lord Cardwell è in casa?»

«No, signor Black. È andato a giocare a golf.»

«Grazie.» Julian risalì in macchina e se ne andò. Avrebbe dovuto prevedere che il vecchio sarebbe andato a giocare a golf, in una bella serata come quella.

Guidò con prudenza la Mercedes, senza sfruttarne l'accelerazione scattante e la stabilità nelle curve. La potenza della macchina serviva solo a ricordargli la propria inettitudine.

Il parcheggio del golf club era affollato. Lasciò la macchina ed entrò nella clubhouse. Il padre di Sarah non c'era.

«Ha visto Lord Cardwell?» chiese al barista.

«Sì. È andato a farsi un round da solo. Dovrebbe essere alla settima o all'ottava buca, ormai.»

Julian uscì e si avviò sul campo. Trovò Lord Cardwell

alla nona buca. Era molto alto, con i capelli bianchi e radi. Portava una giacca a vento, calzoni nocciola e un berretto di tela che copriva la testa quasi calva.

«Bella serata» disse Julian.

«Davvero. Be', adesso che sei qui puoi farmi da caddy.» Cardwell mandò in buca la palla con un lungo *putt*, la recuperò e proseguì.

«Come va la galleria?» chiese mentre preparava il *tee* per abbordare la decima buca.

«In generale va benissimo» disse Julian. «I lavori di ristrutturazione sono quasi ultimati e adesso sto lavorando alla pubblicità.»

Cardwell fletté le gambe, sistemò la palla, la lanciò. Julian s'incamminò al suo fianco. «Tuttavia» proseguì, «sta costando molto di più di quanto avessi immaginato.»

«Capisco» disse Cardwell in tono indifferente.

«Per assicurarmi un buon profitto fin dall'inizio, ho bisogno di spendere un paio di migliaia di sterline acquistando quadri. Ma non ce la farò: il denaro se ne va troppo in fretta.»

«Allora dovrai essere molto parsimonioso nei primi tempi» osservò Cardwell. «Non ti farà male.»

Julian imprecò tra sé. La conversazione stava procedendo esattamente come aveva temuto. «Per la verità, mi chiedevo se avresti potuto darmi ancora un po' di contanti. Servirebbe a rendere più sicuro il tuo investimento.»

Cardwell trovò la palla e si fermò a contemplarla. «Hai molto da imparare per quanto riguarda gli affari, Julian» disse. «Sarò anche considerato un uomo ricco, ma non posso tirar fuori duemila sterline così, da un momento all'altro. Non potrei permettermi neppure un appartamento di tre stanze se dovessi trovare la somma entro do-

mani. Ma c'è una cosa ancora più importante: devi imparare come si fa a trovare i capitali. Non puoi abbordare
qualcuno e dirgli: "Sono un po' a corto di liquidi, puoi
darmi qualcosa?". Devi raccontargli che hai in vista un
ottimo colpo e gli fai il favore di interessarlo.

«Purtroppo non posso darti altri soldi. Ho già investito
quella cifra sebbene fossi convinto che non sarebbe stato
un buon affare... comunque, questa è acqua passata.

«Ti dirò io che cosa posso fare. Tu vuoi comprare qualche quadro. Io sono un collezionista, non un mercante;
ma so che un gallerista deve avere il fiuto necessario per
fare buoni acquisti. Tu trovane qualcuno, e io ti darò il
capitale che ti manca.»

Lord Cardwell si concentrò di nuovo sulla palla e si preparò a tirare.

Julian annuì e si sforzò di nascondere la delusione.

Cardwell tirò, seguì con gli occhi la palla che volava
nell'aria e atterrava al margine del *green*, poi si rivolse a
Julian.

«Ora la prendo io» disse, e si issò sulla spalla la sacca
con le mazze. «Non sei venuto per farmi da caddy, lo so.»
Aveva assunto un tono di condiscendenza insopportabile.
«Vai pure, e ricorda quello che ti ho detto.»

«Certo» rispose Julian. «Arrivederci.» Se ne andò e
tornò al parcheggio.

Mentre era bloccato in un ingorgo a Wandsworth Brid-
ge, si chiese come avrebbe potuto evitare Sarah per il resto
della serata.

Si sentiva stranamente libero. Aveva fatto tutte le cose
sgradevoli che era obbligato a fare, e adesso provava un
senso di sollievo anche se non aveva ottenuto nulla. Non

s'era aspettato che Sarah o suo padre scucissero qualcosa... ma aveva dovuto tentare. E non si sentiva per nulla responsabile nei confronti di Sarah. Aveva litigato con lei e s'era preso la macchina. Doveva essere furibonda, ma non c'era niente da fare.

Frugò nella tasca della giacca per cercare l'agenda e vedere se poteva andare da qualche parte. Trovò un foglietto e lo estrasse.

Il traffico si sbloccò e Julian riuscì a districare la macchina. Tentò di leggere il pezzetto di carta mentre guidava: c'erano il nome di Samantha Winacre e un indirizzo di Islington.

Già. Samantha era un'attrice e conosceva Sarah. Julian l'aveva incontrata un paio di volte. L'altro giorno era passata dalla galleria e l'aveva pregato di farle sapere che cosa intendeva esporre. Julian ricordava quell'occasione: era stato il giorno in cui era venuto a trovarlo il povero Peter Usher.

Continuò a procedere verso nord dopo aver superato la svolta per tornare a casa. Sarebbe stato piacevole andare a trovarla. Era una donna molto bella e un'attrice brava e intelligente.

Ma era una pessima idea. Con ogni probabilità sarebbe stata attorniata da una piccola corte; o forse era uscita per andare a una festa del giro dello spettacolo.

D'altra parte non sembrava il tipo per quel genere di vita. In ogni caso, Julian avrebbe avuto bisogno d'un pretesto per farle visita. Si sforzò di inventarlo.

Proseguì per Park Lane, superò lo Speakers' Corner e continuò per Edgware Road fino a quando svoltò in Marylebone Road. Adesso guidava più in fretta, ansioso di compiere quel tentativo un po' pazzo d'imporre la sua presenza a una diva del cinema. Marylebone Road divenne Euston Road, e Julian svoltò a sinistra, all'Angel.

Dopo un paio di minuti arrivò davanti alla casa. Sembrava molto normale: niente ondate di musica o scrosci di risa o luci sfolgoranti. Decise di tentare la sorte.

Lasciò la macchina e bussò. Venne ad aprirgli Samantha Winacre, con un asciugamani avvolto intorno ai capelli.

«Salve!» disse garbatamente.

«L'altro giorno la nostra conversazione è stata interrotta in modo piuttosto brusco» disse Julian. «Stavo passando di qui e ho pensato d'invitarti a bere qualcosa.»

Lei sorrise. «Che gesto deliziosamente spontaneo!» esclamò. «Mi stavo appunto chiedendo che cosa potevo fare per evitare una serata davanti al televisore. Entra.»

5

Le scarpe di Anita ticchettavano allegramente sul marciapiedi, mentre si avviava a passo svelto verso la casa di Samantha Winacre. Il sole era tiepido; erano già le nove e
mezzo. Con un po' di fortuna avrebbe trovato Sammy ancora a letto. Anita doveva presentarsi al lavoro alle nove,
ma spesso arrivava in ritardo e Sammy non se ne accorge-
va.

Camminava fumando una sigaretta e aspirava a pieni
polmoni, godendosi il gusto del tabacco e l'aria pura del
mattino. Quel giorno s'era lavati i lunghi capelli biondi,
aveva portato una tazza di tè alla madre, aveva fatto mangiare il fratellino più piccolo con il poppatoio e aveva
mandato a scuola tutti gli altri. Non era stanca, perché
aveva appena diciotto anni; ma di lì a dieci anni ne avrebbe dimostrati quaranta.

Il fratellino più piccolo era il sesto figlio di sua madre,
senza contare quello che era morto e un paio di aborti. Il
vecchio non sa che esiste il controllo delle nascite? si chiese Anita. Oppure non gliene importa niente? Se fosse mio
marito glielo farei capire io.

Gary conosceva tutte le precauzioni; ma Anita era deci-

sa a non cedere, almeno per il momento. Sammy la giudicava antiquata perché faceva aspettare tanto un uomo.
Forse era vero; ma secondo lei non aveva senso, a meno
che due si volessero bene davvero. E comunque, Sammy
diceva tante sciocchezze.

La casa di Sammy era piuttosto vecchia ma molto ben
tenuta. Parecchia gente ricca aveva rimodernato le case
un po' antiquate in quella parte di Islington, e il quartiere
stava diventando lussuoso. Anita entrò e chiuse la porta
senza far rumore.

Si guardò nello specchio dell'ingresso. Non aveva avuto
il tempo di truccarsi, ma il suo viso tondo e roseo stava
bene anche senza trucco. Non lo usava mai molto, tranne
per uscire il sabato sera.

Sul vetro dello specchio era incisa la pubblicità d'una
marca di birra, un po' come capitava di vedere nei pub di
Pentonville Road. Così era impossibile scorgere completamente la propria faccia, ma Sammy diceva che era Art
Déco. Un'altra scemenza.

Per prima cosa andò a sbirciare in cucina. C'era qualche piatto sporco sul banco per la colazione e qualche bottiglia sul pavimento, ma non era molta roba. Grazie a
Dio, la sera prima non c'era stata una festa.

Anita si sfilò le scarpe, tirò fuori dalla borsa a tracolla
un paio di mocassini e li calzò. Poi scese nel seminterrato.

Il soggiorno ampio e basso occupava tutta la lunghezza
della casa. Era la stanza che Anita preferiva. Le finestre
alte e strette, sul davanti e sul retro, lasciavano entrare
poca luce; ma all'illuminazione provvedeva una fila di
spot puntati sui poster, le piccole sculture astratte e i vasi
di fiori. Il pavimento era coperto da tappeti lussuosi, e
l'arredamento sembrava uscito dalle vetrine di Habitat.

Aprì una finestra e rassettò in fretta. Vuotò i portacenere in un bidone, sprimacciò i cuscini e buttò via i fiori più sciupati. Prese due bicchieri dal tavolino cromato: uno aveva odore di whisky. Samantha beveva sempre vodka. Anita avrebbe voluto sapere se l'uomo era ancora lì.

Tornò in cucina e si chiese se avrebbe avuto il tempo di lavare i piatti prima di svegliare Sammy. No, decise: quella mattina, sul tardi, Sammy aveva un appuntamento. Però avrebbe potuto pulire la cucina mentre Sammy prendeva il tè. Mise il bricco sul fornello.

La ragazza entrò in camera da letto e scostò le tende. Il sole si riversò come l'acqua che erompe da una diga crollata. La luce viva svegliò immediatamente Samantha. Per un momento restò immobile in attesa che gli ultimi veli del sonno si dissolvessero nella coscienza di un nuovo giorno. Poi si sollevò a sedere e sorrise.

«Buongiorno, Anita.»

«Buongiorno, Sammy.» La ragazza le porse la tazza di tè e sedette sull'orlo del letto. Anita aveva l'accento cockney e i suoi modi indaffarati e materni la facevano sembrare più vecchia.

«Ho già messo in ordine, giù, e ho spolverato» disse. «Ho pensato di aspettare più tardi per lavare. Esce?»

«Mmmm.» Samantha finì il tè e posò la tazza accanto al letto. «Una riunione per discutere la sceneggiatura.» Gettò via le coperte e si alzò per andare in bagno. Fece scorrere l'acqua della doccia e si lavò in fretta.

Quando uscì, Anita stava rifacendo il letto. «Le ho tenuto da parte il copione» disse. «Quello che leggeva l'altra sera.»

«Oh, grazie» disse Samantha. «Mi chiedevo appunto

dove l'avevo cacciato.» Avvolta nell'enorme asciugatoio, andò alla scrivania accanto alla finestra e guardò il volume. «Sì, è proprio questo. Cosa farei senza di te, ragazza mia?»

Anita continuò a trafficare per la stanza mentre Samantha si asciugava i capelli dal taglio sbarazzino. Mise reggiseno e mutandine e sedette davanti allo specchio per truccarsi. Quella mattina Anita non era loquace come al solito, e Samantha si chiese perché.

Un'idea la colpì all'improvviso. «Non sono ancora arrivati i risultati degli esami di maturità?»

«Sì. Stamattina.»

Samantha si voltò. «Com'è andata?»

«Sono stata promossa» rispose seccamente la ragazza.

«E i voti?»

«Il massimo in inglese.»

«Magnifico!» esclamò Samantha.

«Davvero?»

Samantha si alzò e le prese le mani. «Cosa c'è, Anita? Perché non sei soddisfatta?»

«Perché non cambierà niente. Posso andare a lavorare in banca per venti sterline la settimana, oppure nella fabbrica di Brassey per venticinque. Ma questo potrei farlo anche senza il massimo dei voti.»

«Credevo che volessi andare all'università.»

Anita le voltò le spalle. «Era un'idea stupida... un sogno. Non posso andare all'università come non posso volare sulla luna. Che cosa metterà, oggi... il vestito bianco?» Aprì l'anta del guardaroba.

Samantha si girò di nuovo verso lo specchio. «Sì» disse in tono distratto. «Al giorno d'oggi tante ragazze vanno all'università, lo sai.»

Anita posò l'abito sul letto e tirò fuori il collant bianco e le scarpe. «Sa come vanno le cose in casa mia, Sammy. Il mio vecchio lavora un po' sì e un po' no, e non è colpa sua. La mamma non guadagna molto, e io sono la più grande. Dovrò lavorare qualche anno, finché i miei fratelli cominceranno a portare a casa la paga. Per la verità...»

Samantha posò il rossetto e guardò nello specchio l'immagine della ragazza ritta dietro di lei. «Che cosa?»

«Ecco, speravo che continuasse a tenermi.»

Per un momento Samantha non rispose. Aveva assunto Anita come governante per il periodo delle vacanze estive. S'era trovata bene con la ragazza, che era scrupolosa ed efficiente; ma non aveva mai immaginato che potesse diventare una soluzione fissa.

«Io credo che dovresti andare all'università» insistette.

«Giusto» rispose Anita. Prese la tazza dal comodino e uscì.

Samantha finì di truccarsi e indossò i jeans e la camicia di tela prima di scendere. Quando entrò in cucina, Anita mise sulla tavola un uovo alla coque e i toast. Samantha sedette.

Anita versò due tazze di caffè e le sedette di fronte. Samantha mangiò in silenzio, scostò il piatto e lasciò cadere nel caffè una pastiglietta di saccarina. Anita tirò fuori una sigaretta col filtro e l'accese.

«Ascolta» disse Samantha, «se proprio è necessario che ti trovi un posto, sarei felice che lavorassi per me. Sei un aiuto prezioso. Ma non devi rinunciare alla speranza di andare all'università.»

«È inutile sperare. Non è possibile.»

«Senti che cosa intendo fare. Ti assumerò io e ti pagherò la stessa cifra che ti pago adesso. Tu andrai all'università e lavorerai per me durante le vacanze... e così guadagnerai tutto l'anno. In questo modo io non ti perderò e tu potrai aiutare tua madre e studiare.»

Anita la fissò ad occhi sgranati. «È sempre così buona con me» disse.

«No. Guadagno più di quanto merito e non spendo molto. Ti prego, Anita, accetta. Almeno potrò fare del bene a qualcuno.»

«Mia madre direbbe che è una carità.»

«Ormai hai diciotto anni... non sei obbligata a fare quel che decide lei.»

«No.» La ragazza sorrise. «Grazie.» Si alzò e diede un bacio a Samantha, impulsivamente. Aveva le lacrime agli occhi. «Quanto casino faccio!» disse.

Anche Samantha si alzò, un po' imbarazzata. «Dirò al mio avvocato di preparare una specie di contratto, per maggior sicurezza. Ora devo scappare.»

«Le chiamo un tassì» disse Anita.

Samantha salì a cambiarsi. Mentre indossava il vaporoso abito bianco che costava più di due mesi di paga di Anita si sentiva stranamente in colpa. Non era giusto che potesse cambiare la vita d'una ragazza con quel piccolo gesto. Il denaro che le sarebbe costato era una somma trascurabile... e con ogni probabilità avrebbe anche potuto dedurlo dalla dichiarazione dei redditi, pensò all'improvviso. Ma questo non cambiava nulla. Ciò che aveva detto ad Anita era vero. Samantha avrebbe potuto vivere in una lussuosa casa di campagna nel Surrey o in una villa sulla Riviera francese: invece non spendeva quasi nulla dei suoi cospicui guadagni. Anita era l'unica cameriera a tempo pieno che avesse mai avuto. Abitava in quella casa modesta a Islington. Non aveva la macchina né lo yacht. Non possedeva terreni, quadri preziosi o pezzi d'antiquariato.

Tornò con il pensiero all'uomo che le aveva fatto visita la sera prima... come si chiamava? Julian Black. Era stato piuttosto deludente. In teoria, chiunque fosse venuto a farle un'improvvisata doveva essere un tipo interessante, poiché tutti credevano di dover passare attraverso una barriera di guardie giurate per arrivare fino a lei, e gli individui più banali non lo tentavano neppure.

Julian era abbastanza simpatico, addirittura affascinante quando parlava dell'argomento di sua competenza, l'arte. Ma Samantha non aveva impiegato molto per scoprire che era infelice con la moglie e preoccupato per motivi finanziari. E quei due fatti parevano riassumere il suo carattere. Samantha gli aveva fatto chiaramente capire che non intendeva lasciarsi sedurre, e lui non aveva tentato approcci. Avevano bevuto un paio di drink chiacchierando amichevolmente e poi Julian se n'era andato.

Avrebbe potuto risolvere il suo problema con la stessa facilità con cui aveva risolto quello di Anita. Forse avrebbe dovuto offrirgli una somma di denaro. Lui non l'aveva chiesta; ma era evidente che ne aveva bisogno.

Forse avrebbe dovuto fare da mecenate agli artisti. Ma il mondo dell'arte era una specie di pretenziosa commedia delle classi più elevate. Il denaro veniva speso senza un'idea chiara del valore che aveva per la gente comune, per quelli come Anita e la sua famiglia. No, l'arte non era la soluzione per il dilemma di Samantha.

Sentì suonare e guardò dalla finestra. Era arrivato il tassì. Prese la sceneggiatura e scese.

Si assestò sul comodo sedile posteriore del tassì e sfogliò il copione che doveva discutere con il suo agente e un produttore. Il titolo, *La tredicesima notte*, non era di

quelli che attiravano il pubblico; ma era soltanto un dettaglio. La vicenda era un rifacimento della *Dodicesima notte* di Shakespeare senza i dialoghi originali. La trama
sfruttava al massimo tutte le sfumature omosessuali della
commedia. Orsino s'innamorava di Cesario prima di scoprire che in realtà era una donna travestita da uomo; e
Olivia era una lesbica potenziale. Samantha, ovviamente,
avrebbe avuto la parte di Viola.

Il tassì si fermò davanti all'ufficio in Wardour Street e
Samantha scese lasciando al portiere il compito di pagare
la corsa. Le porte si spalancarono davanti a lei quando
entrò, molto compresa del suo ruolo di diva. Joe Davies,
l'agente, le andò incontro e la fece accomodare nel suo
studio. Samantha sedette e abbandonò l'atteggiamento
che aveva assunto in pubblico.

Joe chiuse la porta. «Sammy, voglio presentarti Willy
Ruskin.»

L'uomo piuttosto alto che era scattato in piedi all'ingresso di Samantha le porse la mano. «È un vero piacere,
signorina Winacre.»

I due uomini erano così diversi che il contrasto appariva quasi comico. Joe era piccolo, basso e calvo; Ruskin
era alto, con i folti capelli scuri, gli occhiali, e un simpatico accento americano.

Joe sedette e accese un sigaro. Ruskin offrì a Samantha
il portasigarette, e lei rifiutò.

Joe attaccò subito: «Sammy, ho spiegato a Willy che
non abbiamo preso una decisione per la sceneggiatura.
Stiamo ancora discutendo».

Ruskin annuì. «Ho pensato che comunque sarebbe stato utile incontrarci. Possiamo parlare di tutti i difetti che
lei può aver trovato nel copione. E naturalmente, se ha

qualche suggerimento mi farebbe piacere ascoltarlo.»

Samantha riordinò i suoi pensieri. «La cosa mi interessa» disse. «La trovata è valida, e la sceneggiatura è buona. Mi è sembrata divertente. Ma perché ha escluso le canzoni?»

«Il linguaggio è troppo complicato, per il genere di film che abbiamo in mente» spiegò Ruskin.

«È vero. Però potreste farne scrivere altre e trovare un buon compositore rock perché le musichi.»

«È un'idea.» Ruskin guardò Samantha con rispettoso stupore.

Lei continuò. «Si potrebbe trasformare il giullare in un cantante pazzo... una specie di Keith Moon.»

Joe intervenne: «Willy, è il batterista di un complesso britannico...».

«Sì, lo so» disse Ruskin. «L'idea mi piace. Mi metterò subito al lavoro.»

«Calma, calma» disse Samantha. «È solo un dettaglio. Per me il film pone un problema più serio. È una bella commedia. Punto e basta.»

«Mi scusi... perché è un problema?» chiese Ruskin. «Non riesco a seguirla.»

«Neppure io, Sammy» disse Joe.

Samantha aggrottò la fronte. «Purtroppo anch'io non ho le idee molto chiare al riguardo. Il fatto è che il film *non dice* nulla. Non ha una tesi da dimostrare, non ha niente da insegnare a nessuno, non offre una visione nuova della vita... mi capisce?»

«Ecco, c'è l'idea che una donna può riuscire a spacciarsi per un uomo e fare il suo lavoro con successo» suggerì Ruskin.

«Poteva essere rivoluzionario nel sedicesimo secolo, ma oggi non lo è più.»

«E poi assume un atteggiamento sereno nei confronti dell'omosessualità, e questo può essere considerato educativo.»

«No» obiettò Samantha in tono energico. «Ormai anche la televisione ammette le battute sugli omosessuali.»

Ruskin assunse un'aria un po' risentita. «Per essere sincero non so proprio come il genere di soggetto che vorrebbe lei si potrebbe trasformare in una commedia sostanzialmente commerciale come questa.» E accese un'altra sigaretta.

Joe si agitò. «Sammy, tesoro, è una commedia. Il suo scopo è far ridere la gente. E tu vuoi interpretare una commedia, no?»

«Sì.» Samantha guardò Ruskin. «Mi dispiace. Mi lascia un po' di tempo per pensarci?»

«Sicuro, ci dia qualche giorno, d'accordo, Willy?» disse Joe. «Sa quanto vorrei che Sammy accettasse.»

«Certo» disse Ruskin. «Per la parte di Viola non esiste un'attrice più adatta di Samantha Winacre. Ma, vede, ho una buona sceneggiatura e voglio cominciare il film. Molto presto sarò costretto a cercare un'altra protagonista.»

«Senta, perché non ne riparliamo tra una settimana?» propose Joe.

«D'accordo.»

Samantha disse: «Joe, ci sono altre cose di cui vorrei parlarti».

Ruskin si alzò. «La ringrazio della sua cortese attenzione, signorina Winacre.»

Quando l'americano fu uscito Joe riaccese il sigaro. «Ti rendi conto che mi dispiacerebbe moltissimo, Sammy?»

«Sì, me ne rendo conto.»

«Voglio dire, le buone sceneggiature sono rare. Per

complicare le cose, mi hai chiesto di trovarti una commedia. Non solo, ma vuoi che sia moderna e che attragga i
giovani. Io ne trovo una con una parte magnifica per te, e
adesso ti lamenti perché non contiene un messaggio.»

Samantha si alzò, andò alla finestra e guardò la stretta
strada di Soho. Un furgoncino parcheggiato male blocca-
va il passaggio e aveva causato un ingorgo. Un automobi-
lista era sceso dalla macchina e insolentiva l'autista del
furgoncino che, senza badare alle imprecazioni, continuava a consegnare pacchi di carta in un ufficio.

«Non parlare come se un messaggio si potesse trovare
solo nell'*avant-garde* del teatro off-Broadway» disse.
«Un film può avere qualcosa da dire ed essere comunque
un successo di cassetta.»

«Non capita spesso» osservò Joe.

«*Chi ha paura di Virginia Woolf?*, *La calda notte
dell'ispettore Tibbs*, *Ultimo tango a Parigi*...»

«Ma nessuno ha incassato quanto *La stangata*.»

Samantha si staccò dalla finestra e scrollò la testa, spa-
zientita. «A chi importa? Erano buoni film e valeva la pena di realizzarli.»

«Te lo dico io a chi importa, Sammy. Ai produttori,
agli sceneggiatori, gli operatori, la seconda unità, i pro-
prietari dei cinema, le mascherine, i distributori.»

«Già» disse stancamente lei. Si lasciò ricadere sulla poltroncina. «Vuoi chiedere all'avvocato di farmi un favore,
Joe? Una specie di contratto. C'è una ragazza che lavora
per me come cameriera. Ho intenzione di aiutarla negli
studi. Il contratto deve stabilire che le pagherò trenta sterline la settimana per tre anni a condizione che studi durante l'anno accademico e lavori per me durante le vacanze.»

«Sicuro.» Joe stava prendendo appunti. «È un gesto molto generoso, Sammy.»

«Merda!» Quell'esclamazione fece inarcare le sopracciglia dell'agente. Samantha continuò: «Aveva intenzione di abbandonare gli studi per lavorare e contribuire al mantenimento della famiglia. È qualificata per frequentare l'università, ma la famiglia non può fare a meno dei suoi guadagni. È uno scandalo che ci sia gente in simili condizioni mentre altri guadagnano quanto me e te. Io l'ho aiutata: ma tutti gli altri giovani nelle stesse condizioni?».

«Non puoi risolvere da sola tutti i problemi del mondo, tesoro» disse Joe con aria paternalistica.

«Non essere così condiscendente» scattò lei. «Sono un'attrice abbastanza nota... dovrei poter parlare alla gente di queste cose. Dovrei gridarlo dai tetti: non è giusto, la nostra non è una società giusta. Perché non posso fare film che dicano proprio questo?»

«Per una quantità di ragioni... e la prima è che nessuno accetterebbe di distribuirli. Dobbiamo fare film divertenti o emozionanti. Dobbiamo fare in modo che per qualche ora la gente dimentichi i suoi guai. Nessuno ha voglia di andare al cinema per vedere un film che parla di persone comuni alle prese con ogni genere di guai.»

«Forse non dovrei fare l'attrice.»

«E cos'altro vorresti fare? Vorresti diventare assistente sociale e scoprire che non puoi aiutare nessuno perché devi occuparti di troppi casi, e che comunque tutti, in pratica, hanno bisogno soltanto di denaro? E se diventassi giornalista, ti accorgeresti che devi dire ciò che pensa il direttore, non ciò che pensi tu. Se scrivessi poesie saresti povera. Se ti dedicassi alla politica, dovresti scendere a compromessi.»

«Non si fa mai nulla per rimediare solo perché tutti sono cinici come te.»

Joe posò le mani sulle spalle di Samantha e le strinse affettuosamente. «Sammy, tu sei un'idealista. Sei rimasta idealista molto più a lungo di tutti noi. E per questo ti rispetto... e ti voglio bene.»

«Ah, non raccontarmi le solite scemate da impresario ebreo» disse lei, ma sorrise. «D'accordo, Joe. Penserò ancora un po' alla sceneggiatura. Ora devo scappare.»

«Ti chiamo un tassì.»

Era uno di quei grandi, freschi appartamenti di Knightsbridge. La tappezzeria era sobria e anonima, i divani rivestiti di broccato, i mobili antichi. Le porte-finestre del balcone lasciavano entrare la dolce aria notturna e il lontano fragore del traffico. Era elegante e noioso.

Era elegante e noiosa anche la festa. Samantha c'era andata perché la padrona di casa era una vecchia amica. Andavano insieme per negozi e a volte si scambiavano inviti per il tè. Ma quegli incontri occasionali non avevano rivelato quanto fossero diventate diverse da quando recitavano insieme, pensava Samantha.

Mary aveva sposato un uomo d'affari, e quasi tutti i presenti alla festa sembravano amici del marito. Alcuni degli uomini erano in smoking. E tutti facevano i discorsi più stupidi. Il gruppetto che circondava Samantha era impegnato in un'interminabile discussione su una serie di stampe tutt'altro che sensazionali appese alla parete.

Samantha sorrise per cancellare dal proprio volto l'espressione annoiata e sorseggiò lo champagne. Non era neppure dei migliori. Annuì distrattamente all'uomo che le stava parlando. Erano tutti cadaveri ambulanti. Con un'eccezione. Tom Copper spiccava in mezzo a loro come un gentiluomo cittadino in una banda afro-cubana.

Era alto e imponente, e dimostrava all'incirca l'età di Samantha, ma aveva qualche striatura grigia nei capelli scuri. Portava una camicia scozzese e un paio di jeans con la cintura di pelle. Le mani e i piedi erano massicci.

Incontrò lo sguardo di Samantha, da lontano, e sorrise. I baffi folti si stirarono sopra le labbra. Mormorò qualcosa alla coppia con cui stava parlando e si avvicinò.

Samantha si scostò leggermente dal gruppo che discuteva delle stampe. Tom le bisbigliò all'orecchio: «Sono venuto a salvarti dalla lezione d'arte».

«Grazie. Ne avevo bisogno.» S'erano girati e, sebbene fossero ancora vicini al gruppo, non ne facevano più parte.

Tom disse: «Ho la sensazione che tu sia l'ospite d'onore». Le offrì una sigaretta.

«Appunto.» Samantha si chinò leggermente verso l'accendino. «E tu cosa sei?»

«Sono qui in qualità di esemplare unico della classe operaia.»

«Il tuo accendino non fa molto classe operaia.» Era elegante, con il monogramma, e sembrava d'oro.

Tom Copper forzò un poco l'accento londinese: «Non sembro un lavoratore?». Samantha rise, e lui passò a un accento aristocratico per chiedere: «Ancora un po' di champagne, signora?».

Andarono al buffet, e lui le riempì di nuovo il bicchiere e le offrì un piatto di minuscole gallette al caviale. Samantha scosse la testa.

«Ah, bene.» Tom se ne mise due in bocca.

«Come hai conosciuto Mary?» domandò incuriosita Samantha.

Lui sorrise di nuovo. «Vuoi sapere come mai Mary conosce un buzzurro come me? Studiavamo tutti e due alla scuola di Madame Clair a Romford. A mia madre costava sangue, sudore e lacrime mandarmi a lezione una volta la settimana... ma non è servito a molto. Non ero tagliato per far l'attore.»

«Che cosa fai?»

«Te l'ho detto, no? Sono un operaio.»

«Non ti credo. Penso che tu sia un architetto o un avvocato, o qualcosa del genere.»

Tom estrasse dalla tasca una scatoletta piatta, l'aprì e prese due capsule blu. «E non credi neppure che questa sia droga, vero?»

«No.»

«Mai presa l'anfetamina?»

Samantha scosse di nuovo la testa. «Solo l'hashish.»

«Allora basta una.» Tom le mise una capsula nella mano.

Samantha restò a guardarlo mentre ne inghiottiva tre accompagnandole con lo champagne, poi si mise in bocca la capsula blu, bevve un sorso abbondante e trangugiò con un po' di difficoltà. Quando non si sentì più la capsula bloccata nella gola, gli disse: «Visto? Niente».

«Aspetta qualche minuto e poi incomincerai a strapparti gli abiti di dosso.»

Lei socchiuse gli occhi. «Me l'hai data apposta?»

Tom ritornò all'accento cockney. «Io? Non c'ero neanche, ispettore.»

Samantha incominciò ad agitarsi, a battere il piede al ritmo di una musica inesistente. «Scommetto che se lo facessi tu scapperesti via» disse con una risata squillante.

Tom le rivolse un sorriso saputo. «Ecco, ci siamo.»

All'improvviso lei si sentiva pervasa d'energia. Sgranò gli occhi e un leggero rossore le salì alle guance. «Sono stufa di questa maledetta festa» disse a voce un po' troppo alta. «Ho voglia di ballare.»

Tom le cinse la vita con un braccio. «Andiamo.»

"Topolino non somiglia molto a un vero topo, eppure la gente non scrive lettere indignate ai giornali per protestare perché ha la coda troppo lunga."

E.H. Gombrich, storico d'arte

1

Il treno procedeva lento attraverso l'Italia settentrionale. Il sole fulgido aveva lasciato il posto a un freddo strato di nubi, e il panorama era nebbioso e odorava d'umidità. Fabbriche e vigneti si alternavano in una successione confusa.

Durante il viaggio l'euforia di Dee s'era dissipata a poco a poco. Non aveva ancora fatto una scoperta, e lo sapeva: era semplicemente a caccia. Se al termine della pista non avesse trovato il quadro, tutto ciò che aveva saputo non avrebbe meritato più d'una nota in calce a una dotta esegesi.

Era rimasta a corto di denaro. Non ne aveva mai chiesto a Mike e non gli aveva mai dato motivo di sospettare che ne avesse bisogno. Anzi, gli aveva sempre dato l'impressione di avere una rendita sensibilmente più cospicua di quella che aveva in realtà. Adesso era pentita del suo inganno innocente.

Aveva abbastanza per fermarsi a Livorno un paio di giorni e pagare il viaggio fino a casa. Dee scacciò quelle preoccupazioni economiche e accese una sigaretta. Tra le nubi di fumo, pensò a ciò che avrebbe fatto se avesse trovato il Modigliani perduto. Sarebbe stato l'inizio sensazionale della sua tesi dottorale sulle relazioni tra le droghe e l'arte.

Pensandoci meglio, poteva essere ben di più: poteva diventare il fulcro di un articolo che avrebbe dimostrato quanto s'erano sbagliati tutti gli altri esperti sul conto del massimo pittore italiano del Novecento. L'interesse per il quadro sarebbe bastato a scatenare una mezza dozzina di controversie accademiche.

Forse il dipinto sarebbe addirittura diventato famoso come il "Modigliani Sleign"... e lei si sarebbe fatta un nome e si sarebbe garantita una carriera folgorante per il resto della sua vita.

Certo, poteva anche darsi che non fosse un'opera molto diversa dalle altre cento e cento dipinte da Modigliani. Ma no, questo non era possibile. La tela era stata regalata come esempio d'una realizzazione effettuata sotto l'influenza dell'hashish.

Doveva essere qualcosa di strano ed eterodosso, in anticipo sui tempi, addirittura rivoluzionario. E se fosse stato un dipinto astratto? Una specie di Jackson Pollock creato all'inizio del secolo?

Il mondo degli storici dell'arte avrebbe assediato Delia Sleign per chiedere notizie. Lei avrebbe dovuto pubblicare un articolo spiegando esattamente dove si trovava l'opera. Oppure poteva portarla trionfalmente al museo cittadino. O magari a Roma. Oppure poteva acquistarla e fare una sorpresa al mondo intero...

Sì, certo, avrebbe potuto comprarla. Ottima idea.

Poi l'avrebbe portata a Londra e...

«Mio Dio» disse a voce alta. «Potrei venderla.»

Livorno fu uno shock. Dee si aspettava una cittadina agricola con mezza dozzina di chiese, un corso e un personaggio locale che sapeva tutto di tutti coloro che vi erano vissuti durante l'ultimo secolo. Invece trovò una città che le ricordava un po' Cardiff: il porto, le fabbriche, un'acciaieria, attrazioni turistiche.

Solo più tardi rammentò che gli inglesi la chiamavano Leghorn... e sotto quel nome la conoscevano come un importante porto del Mediterraneo. Le tornarono alla mente vaghi ricordi dei libri di storia: Mussolini aveva speso milioni per modernizzare il porto che poi era stato distrutto durante la guerra dai bombardieri alleati; la città aveva fatto parte del dominio dei Medici; e nel Settecento c'era stato un terremoto.

Trovò un albergo senza molte pretese, grande e bianco, con le finestre ad arco e senza giardino. La camera era spoglia, pulita e fresca. Dee aprì la valigia e appese i due abiti estivi nell'armadio. Si lavò, indossò jeans e scarpe da tennis e uscì.

La nebbia era sparita e l'aria del tardo pomeriggio era mite. Le nubi si stavano allontanando e il sole declinante si affacciava sul mare. Numerose vecchie in grembiule, con i capelli grigi tirati all'indietro e raccolti a crocchia sulla nuca stavano sedute sulle porte delle case e guardavano passare il mondo.

Verso il centro, i bei ragazzi italiani passeggiavano pavoneggiandosi nei jeans attillati sui fianchi e scampanati in fondo, con le camicie aderenti e i folti capelli scuri pettinati accuratamente. Qualcuno inarcò le sopracciglia nel vedere Dee, ma non l'abbordò. Quei ragazzi si stavano mettendo in mostra, pensò lei: erano lì da vedere, non da toccare.

Dee girò senza meta per ammazzare il tempo prima di cena. Intanto si chiedeva come avrebbe potuto cercare il quadro in una città così grande. Evidentemente chi conosceva l'esistenza del quadro non poteva sapere che era un Modigliani; e viceversa, se qualcuno sapeva che c'era un Modigliani tanto straordinario, non era in grado di indicare dove fosse e come lo si potesse ritrovare.

Attraversò un paio di belle piazze ornate dai monumenti di re del passato eseguiti nello splendido marmo toscano. Poi si ritrovò in piazza Vittorio, con le sue aiuole centrali d'erba e di alberi, e sedette su un muretto basso per ammirare i portici rinascimentali.

Sarebbero stati necessari anni e anni per visitare tutte le case della città ed esaminare tutti i vecchi quadri nelle soffitte e nelle botteghe dei rigattieri. Era necessario restringere il campo, anche se questo significava ridurre le probabilità di successo.

Finalmente incominciarono ad affiorare le idee. Si alzò e tornò all'albergo. Adesso aveva fame.

Il proprietario e la sua famiglia occupavano il piano terreno. Quando Dee rientrò non c'era nessuno nell'atrio; bussò alla porta dell'appartamento privato. Sentiva il suono d'una musica e le voci dei bambini, ma nessuno venne ad aprire.

Dee spinse la porta ed entrò nella stanza. Era un soggiorno arredato con mobili nuovi, di pessimo gusto. In un angolo canticchiava un radiogrammofono degli anni Sessanta. Sullo schermo del televisore con l'audio abbassato un volto maschile annunciava silenziosamente le ultime notizie. Al centro della stanza, su un tappeto di nylon arancione, un tavolino di stile vagamente svedese era carico di portacenere, giornali e un libro tascabile.

Un bambino che stava giocando con un'automobilina ai piedi di Dee non alzò neppure la testa. Lei lo scavalcò. Dalla porta in fondo si affacciò il padrone dell'albergo, con lo stomaco che straripava dalla cintura di plastica dei calzoni blu. Dall'angolo della bocca gli penzolava una sigaretta con un paio di centimetri di cenere. L'uomo guardò Dee con aria interrogativa.

Lei parlò in italiano, correntemente: «Ho bussato, ma non mi ha risposto nessuno».

Le labbra dell'uomo si mossero appena. «Desidera?»

«Vorrei prenotare una telefonata per Parigi.»

L'uomo si accostò a un tavolinetto ovale accanto alla porta e sollevò il ricevitore. «Mi dia il numero, ci penso io.»

Dee si frugò nella tasca della camicetta e pescò il foglietto con il numero dell'appartamento di Mike.

«Vuole parlare con una persona in particolare?» chiese l'albergatore. Dee scosse la testa. Non era probabile che Mike fosse già rientrato, ma poteva darsi che ci fosse la donna delle pulizie... quando loro erano via andava a rimettere in ordine alle ore più impensate.

Il proprietario si tolse la sigaretta dalle labbra e parlò nel ricevitore, poi lo posò e disse: «Avrà la comunicazione fra pochi minuti. Non vuole accomodarsi?».

Dee aveva i polpacci indolenziti per la lunga camminata. Si lasciò cadere su una poltrona in finta pelle nocciola che sembrava uscita da un mobilificio di Lewisham.

L'albergatore si sentì in dovere di restare con lei, forse per cortesia, o forse perché temeva che lei rubasse una delle statuine di porcellana allineate sulla mensola. «Come mai è venuta a Livorno?» chiese. «Per le sorgenti sulfuree?»

Dee era decisa a non raccontare tutta la verità. «Vorrei vedere dei quadri» disse.

«Ah.» L'uomo girò lo sguardo sulle pareti. «Sì, qui abbiamo diverse opere molto belle, non le pare?»

«Sì.» Dee represse un brivido. Le riproduzioni appese nel soggiorno erano quasi tutte tetre immagini di santi. «Ci sono tesori d'arte nella cattedrale?» chiese, ricordando una delle possibili tracce.

L'albergatore scrollò la testa. «La cattedrale è stata bombardata durante la guerra.» Sembrava lo imbarazzasse un po' accennare al fatto che il suo paese e quello di Dee erano stati nemici.

Lei cambiò argomento. «E poi mi piacerebbe visitare la casa natale di Modigliani. Lei sa dov'è?»

La moglie dell'albergatore apparve sulla soglia e gli rivolse una lunga frase in tono aggressivo e con un accento troppo stretto perché Dee riuscisse a capire. L'uomo rispose con fare seccato e la moglie se ne andò.

«La casa natale di Modigliani?» ripeté Dee.

«Non saprei» rispose l'albergatore. Si tolse la sigaretta dalle labbra e la buttò nel portacenere già pieno. «Però noi vendiamo guide turistiche... pensa che potrebbero esserle utili?»

«Sì, me ne dia una.»

L'uomo uscì e Dee restò a guardare il bambino, completamente assorto nel suo gioco misterioso con l'automobilina. La moglie attraversò la stanza senza degnare Dee d'una occhiata. Un attimo dopo tornò indietro. Non era molto gioviale, nonostante la cordialità del marito... o forse proprio per questo.

Il telefono squillò e Dee sollevò il ricevitore. «Parigi è in linea» annunciò il centralinista.

Un attimo dopo, una voce di donna disse: «*Allô*?»

Dee passò al francese. «Oh, Claire! Mike è tornato?»

«No.»

«Può segnarsi il mio numero e dirgli di chiamarmi?» Dee dettò il numero scritto sul cartellino del telefono, poi riattaccò.

L'albergatore tornò con un libriccino patinato dagli angoli un po' gualciti. Dee pescò qualche moneta dalla tasca dei jeans e pagò, chiedendosi quante volte quel libretto era stato venduto e rivenduto agli ospiti che poi finivano per dimenticarlo nella loro stanza.

«Ora devo aiutare mia moglie a servire la cena» disse l'uomo.

«Sì, vado. La ringrazio.»

Dee andò in sala da pranzo, sedette a un tavolino rotondo dalla tovaglia a quadretti e incominciò a sfogliare la guida. "Il Lazzaretto di San Leopoldo è uno dei più notevoli d'Europa" lesse. Girò una pagina. "Nessun visitatore può rinunciare ad ammirare i celeberrimi Quattro Mori." Girò un'altra pagina. "Modigliani visse dapprima in via Roma, e poi al numero 10 di via Leonardo Cambini."

L'albergatore le portò un piatto di capelli d'angelo in brodo, e Dee lo accolse con un sorriso felice.

Il primo prete era giovane, e i capelli cortissimi gli davano l'aria del ragazzino. Gli occhiali dalla montatura d'acciaio erano in bilico sul naso sottile e appuntito. Si passava continuamente le mani sulla tonaca con un movimento nervoso, come se avesse le palme sudate e volesse asciugarle. Sembrava che la presenza di Dee lo mettesse in imbarazzo, e forse era comprensibile dato che aveva fatto voto di castità; tuttavia sembrava intenzionato a rendersi utile.

«Qui abbiamo molti quadri» disse. «Nella cripta ce n'è uno stanzone pieno. Nessuno è andato a guardarli da anni.»

«Potrei scendere a vedere?» chiese Dee.

«Certo. Però non credo che troverà qualcosa d'interessante.» S'erano fermati a parlare nella navata e il prete sbirciava di continuo alle spalle di Dee, come temesse che qualcuno potesse sorprenderlo a chiacchierare con una ragazza. «Venga con me.»

La condusse a una porta nel transetto e la precedette giù per la scala a chiocciola.

«Il parroco che c'era intorno al 1910... lei sa se s'interessava di pittura?»

Il pretino si voltò a guardare Dee e subito si affrettò a distogliere gli occhi. «Non ne ho idea» disse. «Dopo di lui ce ne sono stati altri tre o quattro, prima di me.»

Dee attese ai piedi della scala mentre il prete accendeva una candela. Poi lo seguì, con gli zoccoli che risuonavano rumorosamente sul pavimento di pietra, e abbassò la testa per passare sotto la bassa arcata della cripta.

«Ecco qui» disse il prete e accese un'altra candela. Dee si guardò intorno. C'era un centinaio di quadri ammonticchiati sul pavimento e contro le pareti. «Bene, la lascio alla sua ricerca.»

«Non so come ringraziarla.» Dee lo seguì con gli occhi per un momento, poi dedicò la sua attenzione ai quadri e represse un sospiro. L'idea le era venuta il giorno prima: andare nelle chiese più vicine alle due case dov'era vissuto Modigliani e chiedere se c'era qualche vecchio quadro.

Si era sentita in dovere d'indossare una camicetta sotto

l'abito senza maniche per coprirsi le braccia, perché un prete intransigente, altrimenti, non l'avrebbe lasciata entrare in chiesa. Per la strada aveva sofferto il caldo ma nella cripta c'era un fresco delizioso.

Prese il primo quadro da una catasta e l'accostò alla fiamma della candela. Uno strato di polvere sul vetro nascondeva completamente il dipinto. Aveva bisogno d'uno straccio.

Dee si guardò intorno, in cerca di qualcosa che potesse servire, ma naturalmente non c'era nulla. E lei non aveva neppure un fazzoletto. Sospirò, sollevò l'abito e si sfilò le mutandine. Si sarebbe arrangiata con quelle. Adesso avrebbe dovuto stare attenta a non passare al di sopra del prete, sulla scala a chiocciola. Rise tra sé e incominciò a rimuovere la polvere.

Era un mediocrissimo quadro a olio raffigurante il martirio di santo Stefano. Doveva avere circa centoventi anni, ma imitava uno stile ancora più antico. La cornice intagliata doveva valere più del dipinto. La firma era illeggibile.

Dee posò il quadro sul pavimento e ne prese un altro. Era un po' meno polveroso ma altrettanto scadente.

Continuò a destreggiarsi tra discepoli, apostoli, santi, martiri, Sacre Famiglie, Ultime Cene, Crocifissioni e dozzine di Cristi dagli occhi neri e dai capelli scuri. Le mutandine multicolori si annerirono di polvere antica. Dee lavorava metodicamente, accatastando in ordine i quadri puliti e finendo di esaminare ogni mucchio prima di passare a quello successivo.

Impiegò tutta la mattina e non trovò il Modigliani.

Quando ebbe sistemato anche l'ultimo quadro, Dee si permise uno sternuto sonoro. L'aria polverosa turbinò pazzamente. Spense la candela e risalì nella chiesa.

Il pretino non c'era; quindi lasciò un'offerta nella cassetta delle elemosine e uscì nel sole. Appena trovò un bidone per la spazzatura vi buttò le mutandine impolverate. Chissà cosa ne avrebbero pensato i netturbini.

Consultò di nuovo la pianta della città e si avviò verso la seconda casa di Modigliani. C'era qualcosa che l'assillava vagamente: qualcosa che sapeva del pittore... della sua giovinezza o dei suoi genitori, forse. Si sforzò di catturare quel ricordo sfuggente; ma era come cercare d'infilzare una pesca sciroppata su un piatto: era un pensiero inafferrabile.

Passò davanti a un caffè e si accorse che era l'ora di pranzo. Entrò, ordinò una pizza e un bicchiere di vino. Mentre mangiava, si chiese se quel giorno Mike le avrebbe telefonato.

Indugiò davanti al caffè e fumò una sigaretta, riluttante alla prospettiva di affrontare un altro prete, un'altra chiesa, altri quadri polverosi. Stava ancora sparando alla cieca, e lo sapeva: le probabilità di trovare il Modigliani perduto erano pochissime. Con uno scatto deciso spense la sigaretta e si alzò.

Il secondo prete era più vecchio e molto meno disposto ad aiutarla. Inarcò le sopracciglia grige, socchiuse le palpebre e chiese: «Perché vuol vedere i quadri?».

«È la mia professione» spiegò Dee. «Mi occupo di storia dell'arte.» Provò con un sorriso, ma riuscì soltanto a irritare ancora di più il prete.

«Una chiesa è fatta per i fedeli e non per i turisti, vede» disse lui, con cortesia forzata.

«Non darò fastidio.»

«Comunque, qui abbiamo pochissime opere d'arte. Solo quelle che può vedere facendo il giro.»

«Allora farò il giro, se posso.»

Il prete annuì. «Sta bene.» Rimase al centro della navata, mentre Dee si avviava. Non c'era molto da vedere: un paio di quadri nelle cappelle. Ritornò indietro, salutò il prete con un cenno e uscì. Forse lui aveva sospettato che intendesse rubare.

Tornò all'albergo a piedi. Era depressa. Il sole era alto nel cielo e le strade roventi erano semideserte. C'erano in giro soltanto i cani e gli storici d'arte, pensò Dee, sempre più demoralizzata. Aveva giocato la sua ultima carta. L'unica possibilità di continuare la ricerca, ormai, consisteva nel battere tutta la città e visitare ogni chiesa.

Salì nella sua camera, si lavò le mani e il viso per liberarsi della polvere della cripta. L'unico modo sensato per trascorrere quelle ore della giornata era concedersi una pennichella. Si spogliò e si sdraiò sul letto.

Quando chiuse gli occhi la riassalì la sensazione assillante di aver dimenticato qualcosa. Si sforzò di rammentare tutto ciò che sapeva di Modigliani, ma non era molto. Si assopì.

Mentre dormiva il sole superò lo zenith ed entrò dalla finestra aperta, velandole di sudore il corpo nudo. Dee si mosse, irrequieta, aggrottando la fronte ogni tanto. I capelli biondi si scomposero e s'incollarono alle guance.

Si svegliò con un sussulto e si sollevò a sedere. Il sole caldo le faceva dolere la testa, ma Dee non vi badò. Guardò fissamente davanti a sé, colpita da una rivelazione improvvisa.

«Sono un'idiota!» esclamò. «Modigliani era ebreo!»

Il rabbino era simpatico. Era un tipo molto diverso dai preti che s'erano comportati con lei come se fosse un frutto proibito. Gli occhi castani erano cordiali e la barba nera era striata di grigio. La ricerca lo interessava, e così Dee finì per raccontargli tutta la storia.

«Quel vecchio, a Parigi, mi ha parlato d'un prete e quindi ho pensato che si trattasse d'un prete cattolico» spiegò. «Avevo dimenticato che i Modigliani erano ebrei sefarditi e molto ortodossi.»

Il rabbino sorrise: «Bene, io so a chi fu regalato il quadro! Quel mio predecessore era piuttosto eccentrico. S'interessava di moltissime cose... esperimenti scientifici, psicoanalisi, comunismo. Naturalmente, ormai è morto da anni».

«E non c'erano quadri tra i suoi effetti personali?»

«Non saprei. Si ammalò e lasciò la città. Andò ad abitare in un paesino sulla costa adriatica, Poglio. Io ero giovanissimo e lo ricordo vagamente. Però mi pare che sia vissuto a Poglio in casa d'una sua sorella per un paio d'anni prima di morire. Se il quadro esiste ancora, potrebbe averlo lei.»

«Ma sarà morta.»

Il rabbino rise. «Certo. Oh, signorina... si è prefissa un compito molto difficile. Comunque, può darsi che sia rimasto qualche discendente.»

Dee gli strinse la mano. «La ringrazio per la sua gentilezza» disse.

«È stato un piacere» rispose sinceramente il rabbino.

Dee cercò di non pensare al male ai piedi mentre tornava verso l'albergo. Stava facendo i suoi piani: avrebbe dovuto noleggiare una macchina e raggiungere il paesetto. Sarebbe partita l'indomani mattina.

Avrebbe voluto parlare con qualcuno per dare la bella notizia. Rammentava l'ultima volta che aveva provato lo stesso impulso. Si fermò in una tabaccheria, comprò una cartolina e scrisse:

Cara Sammy,
    è la vacanza che ho sempre sognato! Una vera caccia al tesoro!! Vado a Poglio in cerca d'un Modigliani perduto!!!
    Un abbraccio,

D.

Affrancò la cartolina e la impostò. Poi si rese conto che non aveva il denaro necessario per noleggiare una macchina e attraversare mezza Italia.

Era pazzesco. Lei era sulle tracce d'un quadro che poteva valere dalle 50.000 alle 100.000 sterline, e non poteva permettersi di noleggiare una macchina. Era esasperante.

Poteva chiedere a Mike di aiutarla? Diavolo, no; non poteva abbassarsi a tanto. Forse poteva accennare qualcosa, quando lui avesse telefonato. *Se* avesse telefonato: i suoi viaggi non seguivano mai un programma rigoroso.

Doveva procurarsi un po' di denaro in qualche altro modo. Sua madre? Era più che benestante; ma Dee non le dedicava molto tempo da vari anni, ormai. Non aveva il diritto di bussare a quattrini. Lo zio Charles?

Ma ci sarebbe voluto qualche giorno, e Dee smaniava di rimettersi in caccia.

Mentre percorreva la via stretta che portava all'albergo vide una Mercedes blu metallizzato parcheggiata accanto al marciapiedi. L'uomo che vi stava appoggiato aveva i riccioli scuri.

Dee si mise a correre. «Mike!» gridò, felice.

2

James Whitewood parcheggiò la Volvo nella stretta via di Islington e spense il motore. Mise in una tasca un pacchetto di Players e una bustina di fiammiferi, e nell'altra un taccuino nuovo e due biro. Era assillato dal solito dubbio: l'avrebbe trovata di buon umore? Gli avrebbe detto qualcosa che meritava di venire citato? Imprecò sentendo una fitta allo stomaco. Aveva fatto centinaia di interviste nella sua carriera, e questa non sarebbe stata diversa.

Chiuse a chiave la portiera della macchina e bussò alla porta di Samantha Winacre. Venne ad aprirgli una ragazza bionda e grassottella.

«Sono James Whitewood dell'"Evening Star".»

«Si accomodi, prego.»

Whitewood seguì la ragazza nel corridoio. «Come si chiama?»

«Anita. Lavoro qui.»

«Lieto di conoscerla, Anita.» Whitewood le sorrise gentilmente. Era sempre utile stabilire buoni rapporti con chi apparteneva all'entourage d'una diva.

Anita lo condusse nel seminterrato. «C'è il signor Whitewood dello "Star".»

«Salve, Jimmy!» Samantha era raggomitolata su un divano Habitat e portava jeans e camicetta. Era scalza. La voce di Cleo Laine usciva dalle casse dello stereo davanti a lei.

«Sammy.» Whitewood attraversò il soggiorno e le strinse la mano.

«Sieda, si metta comodo. Come vanno le cose in Fleet Street?»

Whitewood le posò sulle ginocchia un giornale prima di sedere in poltrona. «La grande notizia del giorno è che Lord Cardwell vende la sua collezione d'arte. Ora può capire perché si dice che questa è la stagione morta.» Aveva un accento della zona sud di Londra.

Anita domandò: «Prende qualcosa, signor Whitewood?».

Lui alzò la testa. «Un bicchiere di latte, se è possibile.» E si batté la mano sullo stomaco.

La ragazza uscì. Samantha chiese: «Ha ancora l'ulcera?».

«È come l'inflazione. Al massimo si può sperare che si calmi un po'.» Whitewood rise, una risata acuta. «Posso fumare?»

La studiò mentre apriva il pacchetto di sigarette. Samantha Winacre era sempre stata magra, ma ora il viso aveva un'espressione tirata. Gli occhi sembravano enormi; e non era un effetto dovuto al trucco. Si stringeva una spalla con una mano e con l'altra fumava. Schiacciò il mozzicone nel portacenere pieno e accese un'altra sigaretta.

Anita portò il bicchiere di latte. «Un drink, Sammy?»

«Sì, grazie.»

Jimmy diede un'occhiata all'orologio: era mezzogiorno

e mezzo. Sbirciò di sottecchi la quantità di vodka and tonic versata da Anita.

«Mi dica» chiese, «come va la vita nel mondo del cinema?»

«Sto pensando di lasciarlo.» Samantha prese il bicchiere che Anita le porgeva. La ragazza uscì.

«Santo Dio.» Jimmy tirò fuori il taccuino e brandì una penna. «Perché?»

«Non ho molto da dire, per la verità. Sento che il cinema mi ha già dato tutto ciò che poteva darmi. Il lavoro mi annoia, e il risultato mi sembra sempre così banale.»

«C'è qualche motivo particolare che ha causato questa disaffezione?»

Samantha sorrise. «Ecco una domanda intelligente, Jimmy.»

Lui alzò la testa, in attesa, e la vide sorridere in direzione della porta. Si voltò e vide un uomo alto e imponente in jeans e camicia scozzese che entrava in quel momento. Il nuovo venuto lo salutò con un cenno e sedette accanto a Samantha.

«Jimmy» disse l'attrice, «le presento Tom Copper, l'uomo che ha cambiato la mia vita.»

Joe Davies premette il pulsante dell'orologio Quantum e guardò i numeri rossi luminosi che si accendevano sul quadrante nero: 0955. Era il momento giusto per telefonare a un giornale londinese della sera.

Prese il telefono e chiamò. Dopo una lunga pausa in attesa che il centralino rispondesse, chiese di Whitewood.

«Buongiorno, Jim... sono Joe Davies.»

«È una gran brutta mattinata, Joe. Che razza di fesserie hai da rifilarmi oggi?»

Joe non stentava a immaginare i denti storti messi in mostra dal sogghigno del giornalista: quella simulata ostilità era un gioco al quale giocavano entrambi per nascondere il fatto che ognuno faceva del suo meglio per servirsi dell'altro. «Niente di molto interessante» rispose Joe. «Un'attricetta ha ottenuto una particina, ecco tutto. Leila D'Abo è in cartellone al Palladium di Londra.»

«Quella vecchia vacca spompata? E quando debutta, Joe?»

Joe sogghignò. Questa volta era stato lui a vincere la partita. «Il 21 ottobre, per una serata.»

«Bene. Nel frattempo dovrebbe aver quasi finito quel filmaccio di second'ordine che sta girando a... dove? Negli Ealing Studios?»

«A Hollywood.»

«Già. Chi altro c'è in cartellone?»

«Non lo so. Dovrai chiederlo al Palladium. E dovrai anche chiedere se è vero che le pagheranno cinquantamila sterline per la sua partecipazione, perché io non ti ho detto niente.»

«Giusto, non me l'hai detto.»

«Ti basta per scrivere un pezzo?»

«Per te sono sempre pronto a fare del mio meglio, vecchio mio.»

Joe sogghignò di nuovo. Se la notizia era abbastanza interessante per venire pubblicata, Whitewood fingeva sempre di fare un favore personale all'agente. Se non lo era, il giornalista lo diceva senza riguardi.

Whitewood chiese: «Ehi, l'hai passata alla concorrenza?».

«Non ancora.»

«Ci lasci un'edizione di vantaggio?»

«Come favore personale a te, Jim... sì.» Joe si assestò sulla poltroncina di pelle e sorrise trionfalmente. Adesso il giornalista gli doveva un favore. Joe aveva vinto ai punti.

«A proposito, cosa sta combinando la tua fanciulla dagli occhi azzurri?»

Joe si tese in avanti: dunque Whitewood aveva un asso nella manica, dopotutto. Assunse un tono di finta noncuranza: «Quale?».

«Joe, quante ne ho intervistate, questa settimana? La denutrita signorina Winacre, naturalmente.»

Joe aggrottò la fronte. Accidenti a Sammy. Adesso era sulla difensiva. «Volevo appunto chiedertelo: com'è andata?»

«Ne ho tirato fuori un pezzo sensazionale... "Samantha Winacre lascia il cinema." Lei non te l'ha ancora detto?»

Cristo! Cos'aveva raccontato Sammy a quel giornalista? «Detto tra noi, Jim, sta attraversando una specie di crisi.»

«Una gran brutta crisi, direi. Se rifiuta un buon copione come *La tredicesima notte*, deve avere davvero intenzione di ritirarsi.»

«Fa un favore a te stesso, Jim... questo non metterlo nel tuo articolo. Cambierà idea.»

«Lieto di saperlo. L'avevo lasciato fuori comunque.»

«E che linea hai seguito?»

«Samantha Winacre dichiara: "Sono innamorata". Ti va?»

«Grazie, Jim. Ci vediamo. Ehi, un momento... ti ha detto di chi è innamorata?»

«Lui si chiama Tom Copper. L'ho incontrato in casa sua. Mi sembra un tipo sveglio. Non vorrei che avesse una mezza intenzione di soppiantarti come agente.»

«Ti ringrazio ancora.»

«Ciao.»

Joe posò bruscamente il ricevitore. Era di nuovo alla pari con Whitewood nel conto dei favori personali: ma quello era il male minore. Era gravissimo, invece, che Sammy avesse confidato al giornalista la sua decisione di rifiutare un film senza dirlo al suo agente.

Si alzò dalla scrivania e andò alla finestra. C'era il solito ingorgo del traffico: le macchine erano parcheggiate lungo tutte le doppie righe gialle. Ognuno crede d'essere un'eccezione, pensò Joe. Passò un vigile, senza badare alle infrazioni.

Sul marciapiedi di fronte, una prostituta mattiniera stava cercando di adescare un uomo di mezza età. In un club di striptease stavano scaricando casse di champagne scadente. Sulla porta di un cinema chiuso, un orientale dai capelli corti e dall'abito vistoso passò un minuscolo pacchetto a una ragazza magra e sporca che gli porse un biglietto di banca con mano tremante. Quel volto scarno e quei capelli corti mal tagliati la facevano somigliare un po' a Sammy. Oh, Cristo, che cosa doveva fare con Sammy?

Quel tizio era la chiave. Joe tornò alla scrivania e lesse il nome che aveva scarabocchiato sul blocco: Tom Copper. Se è innamorata di lui, allora subisce la sua influenza. Quindi è lui che vuol spingerla ad abbandonare il cinema.

La gente si rivolgeva a Joe perché l'aiutasse a guadagnare. La gente dotata di talento... qualcosa che Joe non aveva mai capito e che sapeva di non possedere. Come Joe non avrebbe saputo recitare neppure se ne fosse andato della sua vita, i suoi clienti non sapevano destreggiarsi nel campo degli affari. Lui doveva pensare a leggere i contratti, negoziare i compensi, dar consigli sulla pubblicità, trovare buone sceneggiature e bravi registi: doveva guidare gli ingenui personaggi di talento nella giungla del mondo dello spettacolo.

Il suo dovere nei confronti di Sammy era aiutarla a guadagnare. Ma questo non rispondeva veramente al suo interrogativo.

Per la verità, un agente era assai più di un uomo d'affari. Nel suo lavoro Joe aveva fatto spesso da padre e da madre, da innamorato e da psichiatra: aveva offerto ai suoi clienti una spalla su cui piangere, una cauzione per ottenere la libertà provvisoria, un suggerimento per far ritirare un'imputazione per uso di droga, un consiglio per salvare un matrimonio. Aiutare un artista a far quattrini era una frase fatta, e significava molto più di quanto sembrasse in apparenza.

Uno dei suoi compiti principali era proteggere dagli squali gli inesperti. Il mondo di Joe brulicava di squali: produttori che davano una parte a un attore, guadagnavano una barca di quattrini con il film e lasciavano quel poveraccio a chiedersi come avrebbe fatto a pagare l'affitto del mese prossimo; guru fasulli che spacciavano religioni inventate, meditazioni, vegetarianesimo, misticismo e astrologia e mungevano a un divo metà dei suoi introiti; organizzazioni eccentriche e uomini d'affari disonesti che raggiravano un artista e l'inducevano ad appoggiarli, e sfruttavano senza ritegno la pubblicità assicurata dall'abbinamento senza il minimo riguardo per l'immagine della vittima.

Joe aveva una gran paura che Tom Copper appartenesse alla categoria degli squali. Era accaduto troppo in fretta: il tipo era apparso dal nulla e adesso, di colpo, gestiva la vita di Sammy. Sammy aveva bisogno d'un marito, ma non di un nuovo agente.

Ormai aveva deciso. Si chinò sulla scrivania e premette un pulsante. Una voce sibilò attraverso l'interfono: «Sì, signor Davies?».

«Puoi venire subito da me, Andy?»

Mentre aspettava, bevve un sorso di caffè, ma era freddo. Andrew Fairholm (lui lo pronunciava Fareham) era un ragazzo sveglio. Joe si riconosceva un po' in lui. Era figlio di un attore generico e di una pianista mancata, e s'era accorto molto presto di non aver talento. Dato che comunque aveva la passione per il mondo dello spettacolo s'era messo a fare l'impresario ed era riuscito a lanciare un paio di complessi rock non proprio eccelsi. Più o meno a quell'epoca Joe l'aveva assunto come assistente personale.

Andy entrò senza bussare e sedette davanti alla scrivania. Era un giovane di bell'aspetto, con i capelli bruni lunghi e pulitissimi, una giacca dai risvolti ampi e una maglietta con l'immagine di Topolino. Aveva studiato all'università e ostentava un accento raffinato. Era utile all'agenzia di Joe: le conferiva un'immagine un po' più moderna. Con la sua intelligenza e le sue tendenze giovaniliste integrava molto bene l'esperienza e la rinomata furberia di Joe.

«Abbiamo guai con Sammy Winacre, Andy» disse Joe. «Ha raccontato a un giornalista che è innamorata e vuol smettere di recitare.»

Andy alzò gli occhi al cielo. «Ho sempre detto che era un po' matta. Lui chi è?»

«Un certo Tom Copper.»

«E chi diavolo sarebbe?»

«È appunto quel che voglio scoprire.» Joe strappò il foglio dal blocco e lo porse. «Al più presto.»

Andy annuì e se ne andò. Joe si rilassò un po'. Si sentiva meglio, adesso che il problema era nelle mani di Andy. Nonostante il suo fascino e le buone maniere, quel ragazzo aveva i denti molto aguzzi.

Era una sera calda e l'aria immobile aveva l'odore dell'estate. Il tramonto allagava di sangue le nubi alte e sparse. Samantha si staccò dalla finestra del seminterrato e andò al mobile bar.

Tom mise un disco jazz sul giradischi e si sdraiò sul divano. Quando Samantha gli porse un bicchiere e si raggomitolò accanto a lui, le cinse con un braccio le spalle esili e si chinò a baciarla. In quel momento squillò il campanello.

«Non rispondere» disse Tom, e continuò il bacio.

Samantha chiuse gli occhi, gli premette le labbra sulle labbra. Poi si alzò. «Preferisco tenerti sulla corda.»

Le occorse qualche istante per riconoscere l'uomo non molto alto e vestito di velluto che stava sulla soglia. «Julian!»

«Ciao, Samantha. Disturbo?»

«No, affatto. Vuoi entrare?»

Julian entrò, e lei lo condusse giù per la scala. «Non ti tratterrò a lungo» le disse in tono di scusa.

Julian assunse un'aria un po' imbarazzata appena vide Tom sul divano. Samantha fece le presentazioni: «Tom Copper, Julian Black». Quando i due uomini si strinsero la mano, Tom torreggiò su Julian. Samantha andò al bar. «Un whisky, vero?»

«Sì, grazie.»

«Julian ha una galleria d'arte» spiegò Samantha.

«Non è esatto. Sto per aprirla. Tu cosa fai, Tom?»

«Diciamo che sono un finanziere.»

Julian sorrise. «Non ti andrebbe di investire qualcosa in una galleria d'arte, per caso?»

«Non è il mio genere.»

«E il tuo genere qual è?»

«Si potrebbe dire che prendo denaro da A per darlo a B.»

Samantha tossì, e Julian ebbe la sensazione che stessero ridendo di lui. «Per la verità» disse, «sono venuto per parlare della galleria.» Prese il bicchiere che gli porgeva Samantha e la guardò assestarsi nell'incavo del braccio di Tom. «Sto cercando una personalità affascinante che sia disposta a inaugurarla. Sarah mi ha suggerito di chiederlo a te. Saresti disposta a farci questo favore?»

«Mi piacerebbe, ma dovrò controllare di non avere altri impegni per quel giorno. Posso telefonarti più tardi?»

«Certo.» Julian prese dalla tasca un cartoncino. «Qui ci sono tutti i dettagli.»

Lei prese il biglietto. «Grazie.»

Julian vuotò il bicchiere. «Non ti disturberò oltre» disse. Sembrava un po' invidioso. «È una scena così intima. Lieto di averti conosciuto, Tom.»

Quando fu sulla soglia si fermò e lanciò un'occhiata a una cartolina posata sopra il termostato a muro. «Chi è andato a Livorno?» chiese.

«Una mia vecchia amica.» Samantha si alzò. «Devo presentartela, un giorno o l'altro. Si è appena laureata in storia dell'arte. Guarda.» Prese la cartolina, la girò e la mostrò. Julian la lesse.

«Affascinante» disse, e la restituì. «Sì, mi piacerebbe conoscerla. Bene, non disturbarti a salire la scala per accompagnarmi. Arrivederci.»

Quando il visitatore fu uscito, Tom chiese: «Perché vorresti andare a inaugurare la sua maledetta galleria?».

«Sua moglie è un'amica. La nobildonna Sarah Luxter.»

«Che sarebbe la figlia di...?»

«Lord Cardwell.»

«Quello che vende la sua collezione d'arte?»

Samantha annuì. «Hanno i colori a olio nelle vene, sai?»

Tom non sorrise. «Ecco, questo è interessante.»

La festa era nella fase fiacca che tutte le feste attraversano nelle ore piccole, prima di riprendere slancio. Quelli che bevevano senza ritegno stavano diventando scomposti e disgustosi, e quelli che bevevano con ritegno incominciavano a sentire l'effetto dell'alcol. Gli invitati stavano in gruppi e si concentravano su argomenti che andavano dall'intellettuale all'incoerente.

Il padrone di casa era un regista reduce da un esilio tra gli spot pubblicitari per la televisione. La moglie, una donna alta ed esile con un abito lungo che le scopriva quasi completamente il seno minuto, accolse Samantha e Tom e li condusse al bar. Un barista filippino dagli occhi già un po' vitrei versò un whisky per Samantha e vuotò due bottiglie di birra in un grosso boccale per Tom. Samantha lanciò un'occhiata indagatrice al suo accompagnatore: di solito non beveva birra, specialmente di sera. Si augurò che non attaccasse per tutta la serata la commedia dell'operaio aggressivo.

La padrona di casa incominciò a parlare del più e del meno. Joe Davies si staccò da un gruppo nell'angolo opposto e si avvicinò. La moglie del regista, ben contenta di potersi sganciare, tornò dal marito.

«Sammy» disse Joe, «devi assolutamente conoscere il signor Ishi. È l'ospite d'onore della serata e il motivo per cui siamo venuti tutti a questa festa orrenda.»

«Chi è?»

«Un banchiere giapponese che intende investire nell'industria cinematografica britannica. Dev'essere matto, e perciò tutti cercano di accattivarselo. Vieni.» Joe le prese il braccio, rivolse a Tom un cenno per scusarsi e condusse Samantha verso un uomo calvo e occhialuto che parlava in tono serio a cinque o sei ascoltatori attentissimi.

Tom osservò le presentazioni dal bar, poi soffiò sul boccale per togliere la spuma dalla birra e lo vuotò a metà. Il filippino lustrava distrattamente il piano del bar con uno straccio e continuava a sbirciarlo di straforo.

«Su» disse Tom, «bevi pure... non farò la spia.»

Il barista gli lanciò un sorriso, prese da sotto il banco un bicchiere semipieno e tracannò una lunga sorsata.

Una voce di donna disse: «Vorrei avere il coraggio di portare i jeans... sono così comodi».

Tom si voltò e vide una ragazza piuttosto bassa che dimostrava poco più di vent'anni. Era lussuosamente abbigliata alla moda degli anni Cinquanta: scarpe con la punta aguzza e i tacchi a spillo, gonna affusolata e giacca a doppio petto. I capelli corti erano pettinati all'indietro, con un ciuffetto sulla fronte.

«Costano meno, anche» disse Tom. «E a Islington non abbiamo molti *cocktail parties*.»

La ragazza spalancò gli occhi truccatissimi. «È là che abiti? Ho sentito che gli operai picchiano le mogli.»

«Gesù Cristo» borbottò Tom.

Lei continuò: «Per me è spaventoso... voglio dire, non sopporterei che un uomo mi picchiasse. Cioè, a meno che fosse molto carino. Allora forse mi piacerebbe. Credi che a te piacerebbe picchiare una donna? Me, per esempio?».

«Ho altre cose cui pensare» disse Tom. La ragazza sembrò non notare neppure il suo tono sprezzante. «Se avessi qualche vero problema non ti renderesti ridicola con me. Il privilegio genera la noia, e la noia genera la gente vuota come te.»

Era riuscito a scuoterla, finalmente. «Se la pensi così, sarebbe meglio che ti strozzassi con la tua birra privilegiata. E poi, cosa ci fai qui?»

«Me lo chiedevo anch'io.» Tom vuotò il boccale e si alzò. «Non mi vanno le conversazioni sceme come questa.»

Si guardò intorno per cercare Sammy, ma sentì la voce prima ancora di vederla. Stava gridando con Joe Davies e tutti si erano voltati a guardarla.

Era rossa in faccia e Tom non l'aveva mai vista così infuriata. «Come ti permetti d'indagare sui miei amici?» urlò. «Non sei il mio angelo custode, sei solo il mio fottuto agente. Anzi, eri il mio agente, perché sei licenziato, Joe Davies!» Lo colpì in faccia con uno schiaffo sonoro e girò sui tacchi.

L'agente divenne paonazzo per l'umiliazione e si mosse per seguirla, alzando un pugno. Tom attraversò la sala in due passi e sospinse Joe, senza cattiveria ma con fermezza, facendolo barcollare, poi si voltò di scatto e uscì dietro Samantha.

Fuori, sul marciapiedi, lei si mise a correre. «Sammy!» la chiamò Tom e la rincorse. Quando le si affiancò, le afferrò il braccio per fermarla.

«Cos'è successo?» le chiese.

Samantha lo fissò con gli occhi colmi di confusione e di collera. «Joe ha fatto indagini su di te» disse. «Mi ha raccontato che hai moglie, quattro figli e precedenti penali.»

«Oh.» Tom le rivolse uno sguardo penetrante. «E tu che cosa pensi?»

«Come diavolo posso sapere che cosa pensare?»

«Sono separato e il divorzio non è ancora definitivo. Dieci anni fa ho falsificato un assegno. Questo cambia qualcosa?»

Lei continuò a fissarlo per un momento, poi gli nascose il viso contro la spalla. «No, Tom, no.»

Tom la tenne fra le braccia per un lungo istante. Poi disse: «È stata una festa disastrosa, comunque. Prendiamo un tassì».

Si avviarono lungo Park Lane e trovarono un tassì davanti a uno degli alberghi. Percorsero Piccadilly, lo Strand e Fleet Street. Tom ordinò al tassista di fermarsi davanti a un'edicola dove erano già in vendita le prime edizioni dei quotidiani del mattino.

Si stava facendo chiaro quando passarono sotto l'Holborn Viaduct. «Guarda qui» disse Tom. «Si prevede che i quadri di Lord Cardwell gli frutteranno un milione di sterline.» Piegò il giornale e guardò dal finestrino. «Sai come ha avuto quei dipinti?»

«Dimmi.»

«Nel Seicento i marinai crepavano per portargli l'oro dall'America Meridionale. Nel Settecento, i contadini soffrivano la fame per pagargli l'affitto delle terre.

Nell'Ottocento, i bambini morivano nelle fabbriche e nelle topaie per accrescere i suoi profitti. In questo secolo si è dato all'attività bancaria per aiutare altri a fare ciò che lui aveva fatto per tre secoli... arricchirsi alle spalle dei poveri. Cristo, un milione di sterline basterebbe per costruire un bel quartiere popolare a Islington.»

«Che cosa si può fare?» chiese Sammy in tono sconsolato.

«Non lo so.»

«Se nessuno si decide a riappropriarsi del denaro rubato, dovremo farlo noi.»

«Ah sì?»

«Tom, sii serio! Perché no?»

Tom la cinse con un braccio. «Sicuro, perché no? Ruberemo i suoi quadri, li venderemo per un milione e costruiremo un quartiere popolare. Domattina discuteremo i dettagli. Baciami.»

Samantha gli accostò le labbra alle labbra, poi si staccò in fretta. «Dico sul serio, Tom.»

Lui la guardò in faccia per un momento. «Accidenti, credo che tu dica proprio sul serio» mormorò.

3

Julian era sveglio. La notte d'agosto inoltrato era sgrade-
volmente afosa. Le finestre della camera da letto erano
aperte; aveva gettato via il copriletto, ma continuava a sudare. Sarah gli voltava le spalle, sdraiata sul lato opposto
del grande letto, a gambe larghe. La sua pelle aveva una
luminosità pallida nella luce fioca dell'alba, e la fenditura
ombrosa tra i glutei era un invito beffardo. Non si mosse
quando lui scese dal letto.

Julian prese da un cassetto un paio di mutande e le infilò. Si chiuse alle spalle la porta della camera da letto senza far rumore, attraversò il corridoio, scese una mezza
rampa di scale, passò dal soggiorno ed entrò in cucina.
Riempì il bollitore elettrico e lo attaccò.

Le parole che aveva letto su quella cartolina in casa di
Samantha, la sera prima, continuavano a ripetersi nella
sua mente come il motivo d'una canzone che era impossibile dimenticare. "Vado a Poglio in cerca d'un Modigliani
perduto." Il messaggio s'era impresso a fuoco nel suo cervello e, molto più del caldo, aveva contribuito a tenerlo
sveglio.

Anche lui doveva andare a cercare il Modigliani perduto. Sarebbe stato esattamente ciò che gli occorreva... una scoperta autentica. Gli avrebbe creato una reputazione come mercante d'arte e avrebbe fatto accorrere il pubblico alla Black Gallery. Non era in linea con il programma della galleria, ma questo non aveva importanza.

Julian mise una bustina di tè in una tazza e vi versò l'acqua bollente. Con un cucchiaio colpì il sacchetto che galleggiava, lo spinse sul fondo e lo guardò risalire alla superficie. Era sconsolato. Il Modigliani sarebbe stato un'occasione d'oro, ma c'era modo di averlo?

Se fosse riuscito a trovare il quadro, Lord Cardwell gli avrebbe dato il denaro per acquistarlo. Gliel'aveva promesso, e il vecchiardo manteneva la parola. Ma non avrebbe cacciato un soldo in base alla cartolina d'una ragazza svampita. E Julian non aveva i mezzi per andare in Italia.

Il tè aveva assunto un colore bruno carico e sulla superficie si stava formando la pellicola tipica dell'acqua dura. Julian portò la tazza al banco della colazione e sedette su uno sgabello. Girò gli occhi sulla lavastoviglie, la cucina a due livelli che veniva usata soltanto per far bollire le uova, la lavatrice, il frigo, l'esercito di piccoli elettrodomestici. Era esasperante trovarsi tanto vicino alla ricchezza e non poterne approfittare.

Quanto gli sarebbe servito? Il biglietto dell'aereo, i conti degli alberghi, forse qualche bustarella... Tutto dipendeva dal tempo che avrebbe impiegato per raggiungere la donna che si firmava D. Qualche centinaio di sterline... forse mille. Doveva assolutamente trovarle.

Esaminò le varie possibilità mentre beveva il tè. Poteva rubare qualcuno dei gioielli di Sarah e impegnarlo. Ma forse si sarebbe messo nei guai con la polizia. Le agenzie di pegno esigevano la prova della proprietà? Quelle serie, probabilmente, la chiedevano. No, era fuori dal suo campo. Sarebbe stato meglio falsificare un assegno di Sarah: ma lei l'avrebbe scoperto ancora più in fretta. E in entrambi i casi sarebbe stato troppo rischioso procurarsi la somma necessaria.

Doveva trovare qualcosa di cui Sarah non avrebbe scoperto la mancanza. Qualcosa che si potesse vendere senza difficoltà e che valesse una discreta somma.

Avrebbe potuto andare in Italia con la macchina, pensò. Aveva controllato su una carta automobilistica: Poglio si trovava sull'Adriatico, nell'Italia settentrionale. E avrebbe potuto dormire in auto.

Ma allora sarebbe stato più difficile apparire presentabile, se avesse dovuto intavolare trattative delicate. E comunque avrebbe avuto bisogno di denaro per la benzina, e i pasti e le bustarelle.

Avrebbe potuto dire a Sarah che andava in Italia con la macchina, e poi venderla. E lei avrebbe scoperto l'imbroglio al ritorno, proprio quando Julian avrebbe chiesto al suocero di finanziarlo. Quindi poteva raccontarle che la macchina era stata rubata.

Sì, ecco. Poteva dire che avevano rubato la macchina... e venderla. Sarah si sarebbe precipitata a denunciare il furto alla polizia e all'assicurazione. Ma lui avrebbe potuto dirle che aveva già provveduto.

Poi sarebbe trascorso un po' di tempo mentre la polizia cercava la Mercedes. L'assicurazione avrebbe lasciato passare qualche mese prima di pagare. E quando Sarah avesse scoperto l'inganno, ormai la reputazione di Julian sarebbe stata consolidata.

Decise di tentare. Doveva andare in cerca d'un rivenditore di macchine usate. Diede un'occhiata all'orologio. Erano le otto e mezzo. Tornò in camera da letto e si vestì.

Trovò il libretto di circolazione in un cassetto della cucina e le chiavi della macchina dove le aveva lasciate la sera prima.

Doveva fare qualcosa perché tutto apparisse convincente. Scovò un foglio di carta e una matita spuntata e scrisse un biglietto per Sarah. "Ho preso la macchina. Starò fuori tutto il giorno per affari. J."

Lasciò il biglietto in cucina accanto alla caffettiera e scese in garage.

Impiegò più di un'ora per attraversare il West End e la City e percorrere Mile End Road fino a Stratford. Il traffico era tremendo e la strada inadeguata. Quando raggiunse Leytonstone High Road trovò una quantità di rivendite di auto usate: nei saloni, nei lotti mai ricostruiti dopo i bombardamenti, nei distributori, sui marciapiedi.

Julian ne scelse una piuttosto grande, all'angolo. Davanti c'era una Jaguar molto recente, e nel cortile erano allineate parecchie macchine lussuose e ultimo modello. Julian entrò.

Un uomo di mezza età stava lavando il parabrezza d'una grossa Ford. Portava un berretto di pelle e un giubbotto aperto. Andò incontro a Julian reggendo lo straccio e il secchio.

«È mattiniero» disse con cordialità. Aveva un forte accento dell'East End.

«C'è il principale?» chiese Julian.

L'uomo si raffreddò un poco. «Sono io.»

Julian indicò la macchina. «Quanto mi può offrire?»

«Vuol darla dentro?»

«No, voglio venderla.»

L'uomo guardò di nuovo la Mercedes, fece una smorfia e scrollò la testa. «È molto difficile trovare qualcuno che le voglia» disse.

«È una gran bella macchina» protestò Julian.

L'altro mantenne la stessa espressione scettica. «Quanto ha? Due anni?»

«Diciotto mesi.»

Il rivenditore girò lentamente intorno alla Mercedes ed esaminò la carrozzeria. Passò l'indice su uno sgraffio della portiera, scrutò con attenzione i parafanghi e tastò le gomme.

«È una gran bella macchina» ripeté Julian.

«Può darsi, ma questo non vuol dire che riuscirò a venderla.».

L'uomo aprì la portiera e sedette al volante.

Julian era esasperato. Sapeva bene che quel tizio avrebbe potuto rivendere facilmente la Mercedes. Tutto stava a vedere quanto era disposto a pagare.

«Pagamento in contanti» disse.

«Non le ho ancora offerto neppure una manciata di bruscolini, amico» replicò l'uomo. Girò la chiavetta e il motore si accese. La girò nel senso opposto, lasciò che il motore si spegnesse e lo riaccese. Ripeté la manovra diverse volte.

«Non ha fatto molti chilometri» osservò Julian.

«E il contachilometri non è truccato?»

«Certo che no.»

L'uomo scese dalla macchina e chiuse la portiera. «Non so» disse.

«Non vuol provare a fare un giro?»

«No.»

«E come può dire quanto vale se non prova a guidarla?» scattò Julian.

L'altro rimase impassibile. «Che mestiere fa?»

«Ho una galleria d'arte.»

«Bene. Io mi occupo di motori e lei continui a occuparsi di quadri.»

Julian si controllò a stento. «Allora, quanto mi offre?»

«Credo che potrei darle millecinquecento, per farle un favore.»

«Ma è ridicolo! Dev'essere costata cinque o seimila sterline!» Negli occhi del rivenditore passò un lampo di trionfo, e Julian si rese conto di avergli rivelato che non conosceva neppure il prezzo di listino della macchina.

Il rivenditore chiese: «È proprio sua?».

«Certo.»

«Ha il libretto?» Julian lo tirò fuori dalla tasca portaoggetti e glielo porse.

L'uomo commentò: «Sarah. È un nome un po' strano per un uomo».

«È mia moglie.» Julian estrasse dal taschino un biglietto da visita. «E questo è il mio nome.»

L'altro mise in tasca il biglietto. «Mi scusi se glielo domando, ma sua moglie sa che la vende?»

Julian imprecò fra sé. Com'era possibile che avesse indovinato? Senza dubbio pensava che se un gallerista veniva nell'East End a vendere per contanti una Mercedes quasi nuova doveva esserci sotto qualcosa di poco chiaro.

«Mia moglie è morta da poco» disse.

«Va bene.» Era evidente che il rivenditore non gli credeva. «Comunque, le ho detto quello che vale.»

«Non posso cederla per meno di tremila sterline» disse Julian con aria decisa.

«Facciamo milleseicento, ma è il massimo.»

Julian pensò che adesso doveva mercanteggiare. «Duemila e cinque» disse.

Il rivenditore gli voltò le spalle e si allontanò.

Julian si lasciò prendere dal panico. «E va bene» gridò. «Duemila.»

«Milleseicentocinquanta, prendere o lasciare.»

«Contanti?»

«Che altro?»

Julian sospirò. «D'accordo.»

«Venga in ufficio.»

Julian lo seguì nel vecchio edificio affacciato sulla strada. Sedette a una scrivania malconcia e firmò il certificato di vendita mentre l'uomo apriva una cassaforte di ferro e contava milleseicentocinquanta sterline in banconote sciupate da cinque.

Quando venne il momento di andarsene, il venditore gli tese la mano. Julian lo ignorò e uscì. Era convinto d'essere stato derubato.

Si avviò verso ovest in cerca d'un tassì. Cercò di dimenticare quello sgradevole negoziato e si abbandonò a una cauta euforia. Almeno adesso aveva milleseicentocinquanta sterline... più che sufficienti per il viaggio. Ormai era sulla buona strada.

Pensò alla storia che avrebbe raccontato a Sarah. Poteva dirle che era andato a parlare con gli arredatori... no, era meglio qualcuno che lei non conosceva. Un pittore che abitava a Stepney. Come si chiamava? John Smith poteva andare... dovevano esserci tanti individui che si chiamavano John Smith. Lui era entrato in casa e quando era uscito dopo un'ora la macchina non c'era più.

Un tassì gli passò accanto. Era vuoto. Julian fischiò e si

sbracciò per chiamarlo, ma quello non si fermò. Decise di stare più attento.

Certo, Sarah avrebbe potuto telefonare alla polizia mentre lui era all'estero. Allora sarebbe saltata fuori la verità. Avrebbe dovuto dirle il nome d'una stazione di polizia inesistente. Un altro tassì venne verso di lui, e Julian lo fermò.

Quando fu a bordo allungò le gambe e agitò le dita dei piedi per liberarsi dall'indolenzimento della lunga camminata. Bene, e se Sarah avesse telefonato a Scotland Yard quando avesse scoperto che quella stazione non esisteva? Prima o poi le avrebbero detto che il furto della sua macchina non era mai stato denunciato.

Il suo piano gli sembrava sempre più pazzesco, via via che si avvicinava a casa. Sarah avrebbe potuto accusarlo di averle rubato la macchina. Ma esisteva il reato di furto tra marito e moglie? E tutti quei bei discorsi nella formula della cerimonia nuziale... ti faccio dono di tutti i miei beni terreni, o qualcosa del genere? E poteva esserci una denuncia per la simulazione del furto?

Il tassì proseguì lungo il Victoria Embankment e attraversò Westminster. No, pensò Julian, la polizia non si sarebbe presa la briga di sporgere denunce per un litigio coniugale. Ma sarebbe stato comunque un disastro se Sarah avesse intuito cosa stava combinando. Allora l'avrebbe detto al padre: e Julian sarebbe caduto in disgrazia agli occhi di Lord Cardwell proprio nel momento cruciale in cui avrebbe avuto bisogno di denaro per l'acquisto del Modigliani.

Adesso era quasi pentito di aver venduto la macchina. Quella mattina gli era sembrato un lampo di genio, ma in realtà poteva rovinare tutto.

Il tassì si fermò davanti alla casa dalle pareti di vetro e Julian pagò con uno dei biglietti da cinque sterline che gli aveva dato il rivenditore d'auto usate. Mentre si avvicinava alla porta tentò disperatamente d'inventare una frottola più credibile da raccontare alla moglie. Ma non gli venne in mente nulla.

Entrò senza far rumore. Erano le undici passate da poco... Sarah doveva essere ancora a letto. Andò a sedere in soggiorno e si sfilò le scarpe.

Forse sarebbe stato meglio se fosse partito subito per l'Italia. Poteva lasciare un biglietto per spiegare che sarebbe stato via qualche giorno. Sarah avrebbe pensato che avesse preso la macchina; e al ritorno avrebbe potuto raccontarle qualcosa.

All'improvviso aggrottò la fronte. Dal momento in cui era entrato, un leggero rumore persistente aveva cercato di attirare la sua attenzione. Si concentrò e si accigliò ancora di più. Era un rumore composito.

Julian lo analizzò. C'erano un fruscio di lenzuola, il cigolio sommesso delle molle del letto e un ansito. Provenivano dalla stanza da letto. Probabilmente Sarah era in preda a un incubo. Stava per chiamarla, quando ricordò che era meglio non svegliare una persona quando stava sognando. O forse non si doveva svegliare un sonnambulo? Decise di andare a vedere.

Salì la mezza rampa di scale. La porta della camera da letto era aperta. Si affacciò.

Si fermò di colpo, con la bocca aperta per lo stupore. Il cuore incominciò a martellargli nel petto, il sangue a rombare negli orecchi.

Sarah era a letto, dalla sua parte. Teneva il collo inarcato, la testa reclinata all'indietro, e i capelli sempre ben pettinati erano incollati al viso sudato. Aveva gli occhi chiusi e la bocca aperta emetteva sordi grugniti animaleschi.

Accanto a lei era disteso un uomo, con la pelvi unita alla sua pelvi in un lento brivido. Le membra massicce erano coperte di pelo nero. I muscoli delle natiche bianche si contraevano e si decontraevano ritmicamente. Sarah teneva un piede sul ginocchio dell'altra gamba, formando un triangolo, e l'uomo le stringeva l'interno della coscia sollevata e le mormorava parole oscene con voce profonda.

E sul letto, dietro a Sarah, c'era un altro uomo. Era biondo, e la faccia pallida era chiazzata di rosso. I suoi fianchi aderivano ai glutei di Sarah. Una mano cingeva il corpo di Sarah e le stringeva i seni, uno dopo l'altro.

I due stavano facendo contemporaneamente l'amore con Sarah. Questo spiegava gli strani, lenti sussulti dei tre corpi. Julian restò a guardare, sbigottito.

Il biondo lo vide e ridacchiò. «Abbiamo uno spettatore» disse a voce alta.

L'altro girò in fretta la testa. Entrambi smisero di muoversi.

Sarah disse: «Oh, è soltanto mio marito. Non fermatevi, bastardi, per favore».

Il bruno le strinse i fianchi e incominciò a sussultare più violentemente di prima. Tutti e tre si disinteressarono di Julian. Sarah incominciò a mormorare: «Oh, sì».

Julian si voltò per andarsene. Si sentiva sfatto e nauseato, ma provava anche qualcos'altro. Da molto tempo non aveva visto quell'espressione libidinosa sulla faccia di Sarah e non poteva evitare di sentirsi eccitato. Ma era un'eccitazione vaga e incerta.

Si lasciò cadere di nuovo sulla poltrona. I tre facevano

più chiasso, ora, come per irriderlo. Ormai il suo amor proprio era annientato.

Dunque è di questo che Sarah ha bisogno per eccitarsi, pensò con disprezzo. Non era colpa mia. Sgualdrina, sgualdrina. L'umiliazione lasciò il posto allo spirito vendicativo.

Voleva umiliarla come Sarah aveva umiliato lui. Avrebbe rivelato al mondo i gusti sessuali di quella vacca, avrebbe...

Cristo...

Di colpo ritrovò la lucidità, come se avesse appena bevuto un sorso di champagne ghiacciato. Restò immobile per qualche secondo, a riflettere precipitosamente. Aveva così poco tempo.

Aprì l'anta di vetro scuro di un armadio e prese la Polaroid. Era carica. Julian fissò il flash e si assicurò che ci fossero le lampadine, poi regolò la messa a fuoco e l'apertura del diaframma.

Le voci provenienti dalla camera da letto divennero più forti quando salì di corsa la scala. Per un momento attese sulla soglia, senza mostrarsi. Sarah emise un suono profondo, gutturale, che via via divenne più alto e acuto: un grido prolungato, quasi infantile. Julian lo ricordava dai tempi in cui era stato capace di strapparglielo.

Quando il grido di Sarah divenne un urlo Julian entrò nella stanza e si accostò all'occhio la macchina fotografica. Attraverso il mirino inquadrò i tre corpi che si muovevano all'unisono, le facce stravolte dallo sforzo o dall'estasi, le mani contratte in strette convulse. Julian premette l'otturatore. Gli amanti non si accorsero neppure del lampo.

Si avvicinò di altri due passi, girando il rullino. Alzò di

nuovo la macchina fotografica e scattò un'altra istantanea. Poi si spostò a lato e ne fece una terza.

Uscì precipitosamente dalla camera da letto e tornò in soggiorno. Frugò in un cassetto e trovò una busta. Accanto c'erano alcuni francobolli. Ne staccò per venti o trenta *pence* e li applicò. Prese una penna dal taschino.

A chi poteva spedire le foto? Un pezzetto di carta era uscito dal taschino con la penna ed era caduto sul pavimento. Julian lo riconobbe: era il foglietto sul quale aveva scritto l'indirizzo di Samantha. Lo raccolse.

Scrisse sulla busta il proprio nome e l'indirizzò presso Samantha. Estrasse i quadratini di carta fotografica. Aveva comprato quella Polaroid per fotografare i quadri e la macchina produceva i negativi, oltre alle copie istantanee; ma i negativi dovevano essere immersi nell'acqua entro otto minuti dall'esposizione. Julian portò la pellicola in cucina, riempì d'acqua una ciotola di plastica e rimase a tamburellare con le dita sul piano del lavello mentre l'immagine prendeva forma sulla celluloide.

Finalmente tornò in soggiorno, portando la pellicola bagnata. L'uomo bruno apparve sulla porta della camera da letto.

Non c'era il tempo di mettere le foto nella busta. Julian corse verso la porta d'ingresso e l'aprì nell'attimo in cui l'uomo lo raggiungeva. Gli sbatté rabbiosamente in faccia la macchina fotografica e uscì d'un balzo.

Corse lungo la strada. L'uomo bruno era nudo e non poteva inseguirlo. Julian mise i negativi nella busta, la chiuse e la imbucò nella cassetta all'angolo.

Guardò le copie stampate. Erano nitidissime. Si vedevano tutte e tre le facce, e non c'erano dubbi su quel che stavano facendo.

Julian tornò indietro, lentamente, e rientrò in casa. Adesso le voci in camera da letto avevano toni litigiosi. Sbatté con forza la porta per annunciare la sua presenza. Andò a sedere in soggiorno e guardò le fotografie.

L'uomo bruno uscì dalla stanza da letto. Era ancora nudo. Sarah, avvolta in una vestaglia, lo seguì, e il biondo dalla faccia chiazzata arrivò per ultimo. Indossava soltanto un paio di mutande oscenamente microscopiche.

Il bruno si asciugò con il dorso della mano il sangue che gli colava dal naso, guardò la macchia rossa sulle nocche e disse: «Ti ammazzerei».

Julian gli tese le fotografie. «Sei molto fotogenico» disse in tono sarcastico. Negli occhi scuri dell'uomo balenò un lampo d'odio mentre guardava le foto.

«Lurido depravato» disse.

Julian scoppiò a ridere.

L'uomo chiese: «Che cosa vuoi?».

Julian smise di ridere e contrasse il viso in una smorfia rabbiosa. «Vai a metterti addosso qualcosa! Sei in casa mia!» gridò.

Il bruno esitò, stringendo e allentando i pugni spasmodicamente. Poi si voltò di scatto e tornò in camera da letto.

Il biondo sedette su una poltrona e ripiegò le gambe. Sarah prese una sigaretta da una scatola e l'accese con un accendino da tavolo. Prese le fotografie che il bruno aveva lasciato cadere, le guardò per un momento, poi le fece a pezzettini e le buttò nel cestino.

Julian disse: «I negativi sono al sicuro».

Vi fu un attimo di silenzio. Il biondo aveva l'aria di divertirsi. Finalmente il bruno tornò. Indossava una sahariana nocciola e una polo bianca.

Julian si rivolse ai due uomini. «Non ho niente contro di voi» disse. «Non so chi siete e non voglio saperlo. Non avete nulla da temere, per le fotografie. Basta che non rimettiate più piede in questa casa. E adesso, fuori.»

Il bruno se ne andò immediatamente. Julian attese mentre l'altro andava in camera da letto e usciva dopo un minuto, vestito d'un paio di calzoni eleganti e di un giaccone.

Quando anche il biondo se ne fu andato, Sarah accese un'altra sigaretta. Poi disse: «Immagino che adesso vorrai dei soldi».

Julian scosse la testa. «Li ho già presi» disse. Sarah lo fissò stupita.

«Prima che succedesse... questo?» chiese.

«Ho venduto la tua macchina.»

Sarah non s'irritò. Nei suoi occhi c'era una strana luce che Julian non sapeva interpretare, e l'ombra d'un sorriso le sfiorava gli angoli della bocca.

«Hai rubato la mia macchina» disse seccamente.

«Sì. Ma non so se si possa parlare di furto tra marito e moglie.»

«E se io facessi qualcosa?»

«Per esempio?»

«Potrei dirlo a mio padre.»

«E io potrei mostrargli le nostre simpatiche foto di famiglia.»

Sarah annuì. Il suo viso aveva ancora un'espressione impenetrabile. «Immaginavo che saremmo arrivati a questo.» Si alzò. «Vado a vestirmi.»

Quando arrivò alla scala si voltò a guardarlo. «Il tuo biglietto... Diceva che saresti rimasto fuori tutto il giorno. L'hai fatto apposta? Sapevi cosa avresti trovato se fossi rincasato presto?»

«No» rispose lui con noncuranza. «Possiamo dire che è stato un colpo di fortuna.»

Sarah annuì di nuovo e andò in camera da letto. Dopo un attimo, lui la seguì.

«Vado in Italia per qualche giorno» le disse.

«Perché?» Sarah si tolse la vestaglia e sedette davanti allo specchio, prese una spazzola e incominciò a passarla sui capelli.

«Affari.» Julian le fissò i seni torniti e colmi. All'improvviso gli sembrò di rivederla sul letto con i due uomini: il collo inarcato, gli occhi chiusi, i grugniti di passione. Il suo sguardo vagò sulle spalle ampie, la schiena che si affusolava in vita, la fessura alla base della spina dorsale, la carne dei glutei appiattita sullo sgabello e si sentì fremere per reazione a quella nudità.

Si avvicinò e si fermò dietro Sarah; le posò le mani sulle spalle e le guardò i seni nello specchio. Le areole dei capezzoli erano ancora scure e gonfie, come poco prima sul letto. Le fece scivolare le mani dalle spalle per toccarle i seni.

Le premette il suo corpo contro la schiena, per farle sentire la durezza del pene e farle capire che la voleva. Sarah si alzò e si voltò.

Julian le prese il braccio, bruscamente, e la condusse a sedere sul letto. Le spinse le spalle.

Docilmente, senza una parola, Sarah si rovesciò sul lenzuolo e chiuse gli occhi.

4

Dunsford Lipsey era già sveglio quando squillò il grosso telefono nero accanto al letto. Sollevò il ricevitore, ascoltò il frettoloso "buongiorno" del portiere e lo posò di nuovo. Poi si alzò e andò ad aprire la finestra.

Sotto di lui c'era un cortile con qualche garage e un muro di mattoni. Lipsey si voltò e girò gli occhi sulla stanza d'albergo. La moquette era un po' lisa, i mobili piuttosto banali; ma almeno era tutto pulito. L'albergo non era dispendioso. Charles Lampeth, che pagava per l'indagine, non avrebbe trovato da ridire se lui avesse alloggiato nel miglior albergo di Parigi: ma quello non era lo stile di Lipsey.

Si tolse la giacca del pigiama, la piegò sul cuscino e andò in bagno. Mentre si lavava e si radeva pensò a Charles Lampeth. Come tutti i clienti, aveva l'impressione che l'agenzia disponesse di un piccolo esercito d'investigatori. In realtà erano appena mezza dozzina, e nessuno di loro avrebbe potuto assolvere quell'incarico. Era anche per questa ragione che Lipsey se ne occupava personalmente.

Ma la ragione principale era che Lipsey nutriva interesse per l'arte e quel caso era piuttosto speciale. Sapeva che sarebbe stato affascinante. C'erano di mezzo una ragazza eccitabile, un capolavoro perduto e un gallerista amante della segretezza... e poteva esserci di più, molto di più. Lipsey si sarebbe divertito a districare la matassa. I personaggi del caso, le loro ambizioni, la loro avidità, i piccoli tradimenti personali... presto Lipsey avrebbe imparato a conoscerli tutti. Non avrebbe potuto far nulla di quella conoscenza, se non servirsene per trovare il quadro; ma ormai da molto tempo aveva abbandonato la mentalità esclusivamente utilitaria quando affrontava un'indagine. Il suo metodo la rendeva divertente.

Si asciugò la faccia, sciacquò il rasoio e lo ripose nell'astuccio. Si stropicciò un po' di Brylcreem sui corti capelli neri e li pettinò all'indietro con una scriminatura meticolosa.

Mise una camicia bianca, una cravatta blu e un vecchio abito d'ottima fattura confezionato in Savile Row, a doppio petto, con i risvolti larghi e attillato in vita. Aveva ordinato due paia di calzoni con la giacca, in modo che il vestito potesse durare una vita; e in effetti sembrava all'altezza delle sue attese. Lipsey sapeva bene che era passato di moda, ma la cosa lo lasciava indifferente.

Alle sette e tre quarti scese in sala da pranzo per fare colazione. Il cameriere gli portò una tazza abbondante di caffè forte. Lipsey decise che la sua dieta poteva tollerare un po' di pane per colazione, ma senza marmellata.

«*Vous avez du fromage, s'il vous plaît?*» chiese.

«*Oui, monsieur.*» Il cameriere andò a prendere il formaggio. Lipsey parlava il francese lentamente e con un forte accento, ma in modo comprensibile.

Tagliò un panino e l'imburrò con parsimonia. Mentre mangiava, fece i piani per la giornata. Aveva tre soli elementi: una cartolina, un indirizzo e una fotografia di Dee Sleign. Prese la foto dal portafoglio e la mise sulla tovaglia bianca, accanto al piatto.

Era stata scattata da un dilettante nel corso d'una festa in famiglia... le tavole da buffet nel prato, sullo sfondo, facevano pensare a un matrimonio celebrato d'estate. Lo stile dell'abito della ragazza indicava che la fotografia era stata fatta quattro o cinque anni prima. Rideva e sembrava che stesse ributtando i capelli dietro la spalla sinistra. I denti non erano molto belli, e la bocca aperta non la rendeva più graziosa: tuttavia dava un'impressione di gaiezza e forse d'intelligenza. Gli occhi erano un po' inclinati verso il basso, agli angoli... il contrario del taglio a mandorla orientale.

Lipsey prese la cartolina e la mise sulla foto. Mostrava una via stretta, con le case alte. C'erano molti negozi. Era una strada tutt'altro che memorabile... con ogni probabilità le cartoline che la mostravano venivano vendute soltanto sul posto. La girò. La scrittura della ragazza confermava le impressioni della fotografia. In alto a sinistra era stampato il nome della via.

Finalmente Lipsey tirò fuori il taccuino dalla rilegatura arancione. Le pagine erano bianche, eccettuata la prima dove aveva annotato l'indirizzo parigino della ragazza.

Non l'avrebbe affrontata immediatamente, decise. Finì il caffè e accese un sigaro. Prima avrebbe seguito un'altra linea d'indagine.

Lipsey sospirò tra sé. Quella era la parte più noiosa del suo lavoro. Avrebbe dovuto bussare a ogni porta della via raffigurata sulla cartolina, e augurarsi di trovare l'indizio che aveva messo Dee sulle tracce del quadro. Avrebbe dovuto provare anche nelle strade laterali. Se non sbagliava a giudicare la ragazza, probabilmente non aveva aspettato più di cinque minuti prima di comunicare a qualcuno la sua scoperta.

Ma, anche se non s'ingannava, le probabilità favorevoli non erano molte. Poteva darsi che la traccia fosse stata una notizia che la ragazza aveva letto su un giornale, oppure qualcuno che aveva incontrato per caso; o forse le era venuto in mente qualcosa all'improvviso mentre camminava. Il fatto che il suo indirizzo fosse in un altro quartiere di Parigi e che in quella zona non vi fosse apparentemente molto che poteva attirarla era in favore della tesi di Lipsey. Tuttavia era probabile che avrebbe girato per un giorno intero o anche più senza trovare nulla di concreto.

Comunque avrebbe tentato. Era un uomo scrupoloso.

Sospirò di nuovo. Bene, prima avrebbe finito il sigaro.

Lipsey contrasse le narici per non sentire il puzzo mentre entrava nella vecchia pescheria. I freddi occhi dei pesci lo fissavano neri e malevoli dalla lastra di marmo, e sembravano vivi perché, paradossalmente, in vita erano sembrati morti.

Il pescivendolo sorrise. «*M'sieu?*»

Lipsey mostrò la foto di Dee Sleign e chiese, nel suo francese preciso: «Ha mai visto questa ragazza?».

L'uomo socchiuse le palpebre e il suo sorriso si gelò in una smorfia rituale. Doveva aver pensato di trovarsi di fronte a un poliziotto. Si asciugò le mani sul grembiule, prese la fotografia e l'alzò verso la luce, voltando la schiena a Lipsey.

Poi si girò di nuovo, restituì la foto e scrollò le spalle. «Mi dispiace, non la conosco» disse.

Lipsey lo ringraziò e uscì dal negozio. Entrò in un androne stretto e buio e salì la scala. Il dolore alle reni divenne più acuto per lo sforzo: era in piedi da parecchie ore. Presto, pensò, si sarebbe fermato per pranzare. Ma non avrebbe bevuto neppure un sorso di vino... altrimenti, quel pomeriggio le camminate sarebbero state insopportabili.

L'uomo che venne ad aprire quando bussò alla porta in fondo era vecchissimo e completamente calvo. Sorrideva come se fosse lieto di vedere il visitatore, anche se era uno sconosciuto.

Al di sopra della spalla del vecchio, Lipsey scorse un gruppo di quadri appesi a una parete. Il cuore gli diede un tuffo: erano originali preziosi. Quello poteva essere il suo uomo.

«Scusi il disturbo, *m'sieu*» disse. «Ha visto questa ragazza?» Mostrò la fotografia.

Il vecchio la prese, rientrò per guardarla alla luce, come aveva fatto il pescivendolo. «Entri pure» disse girando la testa.

Lipsey entrò e chiuse la porta. La stanza era piccola, disordinata e maleodorante.

«Si sieda, prego» disse il vecchio. Lipsey sedette; l'altro prese posto di fronte a lui e posò la foto sul rozzo tavolo di legno. «Non ne sono sicuro» disse. «Perché vuole saperlo?»

La faccia giallastra e rugosa era completamente priva d'espressione, ma ormai Lipsey era certo che fosse stato quell'uomo a mettere Dee sulle tracce del quadro. «Ha molta importanza?» ribatté.

Il vecchio rise allegramente. «Lei è troppo anziano per essere un amante abbandonato, credo» disse. «E non le somiglia affatto, quindi è improbabile che sia il padre. Secondo me è un poliziotto.»

Lipsey si rese conto di avere a che fare con una mente acuta e analitica. «Perché? La ragazza ha fatto qualcosa di male?»

«Non ho idea. Se l'ha fatto, non intendo mettere la polizia sulla sua pista. Se non l'ha fatto, lei non ha nessun motivo di cercarla.»

«Sono un investigatore privato» spiegò Lipsey. «La madre della ragazza è morta e lei è irreperibile. La famiglia mi ha assunto perché la trovi e le dia la notizia.»

Un lampo passò negli occhi neri. «Forse dice la verità.»

Lipsey prese nota mentalmente: il vecchio aveva lasciato capire di non essere in contatto continuo con la ragazza. Altrimenti avrebbe saputo che non era sparita.

A meno che fosse scomparsa davvero, pensò Lipsey con un sussulto. Signore Iddio, camminare l'aveva stancato troppo... non riusciva a pensare chiaramente.

«Quando l'ha vista?»

«Ho deciso di non dirglielo.»

«È molto importante.»

«L'immaginavo.»

Lipsey sospirò. Avrebbe dovuto fare il duro. Era in quella stanza da pochi minuti e aveva già notato l'odore della *cannabis*. «Sta bene, vecchio mio. Se non vuol dirmelo dovrò avvertire la polizia che qui si fa uso di droghe.»

Il vecchio rise divertito. «Crede che non lo sappiano già?» disse. Smise di ridere e tossì. Quando riprese a parlare la luce era scomparsa dai suoi occhi. «Sarebbe da stupido lasciarmi raggirare con un trucco e dare informazioni a un poliziotto. Ma lasciarmi ricattare sarebbe un disonore. La prego di andarsene.»

Lipsey comprese di aver perso la partita. Era deluso e si

vergognava un po'. Uscì e chiuse la porta mentre il vecchio continuava a tossire.

Almeno non doveva camminare, pensò Lipsey. Era seduto in un ristorante dopo un superbo pranzo da dodici franchi e fumava il secondo sigaro della giornata. La bistecca e il bicchiere di vino rosso facevano apparire il mondo un po' meno deprimente. A pensarci bene, quella mattina l'aveva un po' scombussolato; e si chiese ancora una volta se non era ormai troppo vecchio per quel genere di lavoro.

Ormai avrebbe dovuto prendere gli insuccessi con più filosofia, si disse. La rivelazione utile arrivava sempre se la si aspettava abbastanza a lungo. Ma era finito in un vicolo cieco. Adesso gli restava una sola linea d'indagine anziché due. Non c'era altro da fare.

Doveva cercare la ragazza invece del quadro.

Buttò il sigaro nel portacenere, pagò il conto e uscì dal ristorante.

Un tassì si fermò accanto al marciapiedi e ne scese un giovane. Lipsey salì mentre l'uomo pagava. Guardò per la seconda volta quella faccia e si rese conto di averla già vista.

Diede al tassista l'indirizzo dove fin da giugno aveva alloggiato Delia Sleign. Mentre la macchina ripartiva, pensò alla faccia del giovane. Per Lipsey era una vera e propria ossessione collegare le facce ai nomi. Quando non ci riusciva provava un senso di disagio come se fosse in dubbio la sua abilità professionale.

Per qualche istante si stillò il cervello e poi trovò un nome: Peter Usher. Era un giovane artista di successo e aveva qualche legame con Charles Lampeth. Ah, sì. La galleria di Lampeth esponeva i suoi quadri. Non aveva importanza. Tranquillizzato, Lipsey non pensò più al giovane.

Il tassì lo portò a un caseggiato vecchio d'una decina d'anni e non molto elegante. Lipsey entrò e si fermò davanti al gabbiotto della *concierge*.

«C'è qualcuno in casa all'interno nove?» chiese con un sorriso.

«Sono via» rispose sgarbatamente la donna.

«Oh, bene» disse Lipsey. «Sono un arredatore e vengo dall'Inghilterra, e mi hanno chiesto un preventivo. Mi hanno detto di chiedere la chiave a lei e di dare un'occhiata durante la loro assenza. Non ero certo che fossero partiti.»

«Non posso darle la chiave. E poi, non hanno il diritto di cambiare l'arredamento senza l'autorizzazione.»

«Certo!» Lipsey sorrise di nuovo e mise in mostra tutto il fascino di cui era capace. «La signorina Sleign mi ha appunto detto di consultarmi con lei per sentire il suo consiglio e la sua opinione.» Mentre parlava, prese dal portafoglio qualche banconota e la mise in una busta. «Mi ha pregato di darle questo per il suo disturbo.» Passò la busta attraverso lo sportello, piegandola un po' per far frusciare i biglietti di banca.

La *concierge* prese la busta. «Però non ci metta molto, perché dovrò restare lì con lei» disse.

«Certo.» Lipsey continuò a sorridere.

La donna uscì dalla guardiola e lo condusse su per la scala, sbuffando e ansimando e premendosi una mano contro la schiena e soffermandosi di continuo per riprendere fiato.

L'appartamento non era molto grande e alcuni dei mobili sembravano di seconda mano. Lipsey girò lo sguardo sul soggiorno. «Mi hanno parlato di verniciare le pareti» disse.

La portinaia rabbrividì.

«Sì, credo che abbia ragione» disse Lipsey. «Sarebbe meglio una bella carta da parati a fiorami, forse, con una moquette verdescura.» Si soffermò davanti a una credenza orrenda e vi batté le nocche. «Ottima qualità» commentò. «Non è come la solita porcheria moderna.» Tirò fuori un taccuino e scarabocchiò qualche sgorbio senza senso.

«Non mi hanno detto dove andavano» osservò in tono discorsivo. «In Riviera, immagino.»

«In Italia.» La *concierge* aveva ancora un'aria severa, ma si capiva che ci teneva a sfoggiare quel che sapeva.

«Ah. Probabilmente a Roma.»

La donna non rispose e Lipsey ne dedusse che non sapeva altro. Esaminò il resto dell'appartamento senza lasciarsi sfuggire nulla mentre intratteneva la portinaia con chiacchiere inutili.

In camera da letto c'era un telefono su un comodino. Lipsey scrutò con attenzione la rubrica. Sul foglio bianco era posata una biro, e c'erano i segni delle parole che erano state scritte in fretta su una pagina in seguito strappata. Lipsey si piazzò fra il comodino e la *concierge* e intascò il volumetto.

Fece qualche altra osservazione sconclusionata sull'arredamento, poi disse: «È stata molto gentile, madame. Non voglio più trattenerla».

La donna l'accompagnò fino al portone. Appena uscì, Lipsey si diresse verso la cartoleria più vicina e comprò una matita a mina tenera. Sedette in un bar, ordinò un caffè e tirò fuori la rubrica rubata.

Passò delicatamente la matita sopra le impressioni nella carta. Quando ebbe finito, le parole spiccarono chiaramente. Era l'indirizzo di un albergo di Livorno.

Lipsey arrivò all'albergo la sera dell'indomani. Era piccolo e modesto, con una dozzina di camere. Un tempo doveva essere stato la casa di una numerosa famiglia borghese; adesso che la zona s'era declassata era stato trasformato in un albergo frequentato da commessi viaggiatori.

Attese nel soggiorno dell'appartamento privato, mentre la moglie del proprietario saliva a chiamare il marito. Il viaggio l'aveva stancato: gli doleva la testa e non vedeva l'ora di consumare una cena leggera e di andare a letto. Pensò di accendere un sigaro, ma vi rinunciò per cortesia. Ogni tanto lanciava un'occhiata al televisore. Stavano trasmettendo un vecchissimo film inglese che lui aveva visto una sera a Chippenham. L'audio era abbassato al minimo.

La donna tornò con il marito che aveva una sigaretta penzolante dall'angolo della bocca. Da una tasca gli spuntava il manico d'un martello, e teneva in mano un sacchetto di chiodi.

Sembrava irritato perché era stato costretto a interrompere il lavoro. Lipsey gli porse una busta piuttosto gonfia di biglietti di banca e incominciò a interrogarlo in un italiano stentato.

«Cerco una signorina che era qui di recente» disse, mostrando la foto di Dee Sleign. «È questa. La ricorda?»

L'albergatore diede un'occhiata alla fotografia e annuì. «Era sola» disse. Il tono indicava tutta la disapprovazione d'un buon padre di famiglia cattolico per le ragazze che giravano il mondo da sole.

«Sola?» chiese Lipsey, sorpreso. La *concierge* della casa di Parigi gli aveva dato l'impressione che i due inquilini fossero partiti insieme. Continuò: «Sono un investigatore privato inglese e il padre mi ha assunto perché la rintracci e la convinca a tornare a casa. È più giovane di quel che sembra» soggiunse a titolo di spiegazione.

L'albergatore annuì. «L'uomo non alloggiava qui» disse in tono virtuoso. «È arrivato, le ha pagato il conto e l'ha portata via.»

«La ragazza le ha detto perché era venuta qui?»

«Per vedere dei quadri. Le ho detto che molti dei nostri tesori d'arte erano andati distrutti nei bombardamenti.» L'albergatore tacque e aggrottò la fronte, sforzandosi di ricordare. «Ha comprato una guida turistica... voleva sapere dov'era la casa natale di Modigliani.»

«Ah!» Lipsey si lasciò sfuggire un'esclamazione soddisfatta.

«Mentre era qui ha prenotato una telefonata per Parigi. Credo di non saperle dire di più.»

«Non sa dove fosse andata esattamente, qui in città?»

«No.»

«Per quanti giorni s'è fermata?»

«Uno solo.»

«Non ha detto per dove sarebbe proseguita?»

«Ah! Certo» disse l'albergatore. Indugiò un attimo per aspirare la sigaretta agonizzante e fece una smorfia per il sapore del fumo. «Sono venuti da me a chiedermi una cartina.»

Lipsey si sporse verso di lui. Era quasi troppo sperare in un altro colpo di fortuna. «Mi dica.»

«Vediamo. Dovevano prendere l'autostrada per Firenze, e poi attraversare gli Appennini e raggiungere la costa adriatica, dalle parti di Rimini. Hanno fatto il nome d'un paesino... oh! Sì, lo ricordo. Poglio.»

Lipsey tirò fuori il taccuino. «Può scrivermelo?»

L'albergatore lo accontentò.

Lipsey si alzò. «La ringrazio infinitamente» disse.

Uscì e si fermò sul marciapiedi a respirare a pieni polmoni l'aria tiepida della sera. Così presto! pensò. Accese un sigaro per festeggiare.

5

Il bisogno di dipingere era come per un fumatore il bisogno d'una sigaretta: Peter Usher ricordava la volta che aveva cercato di smettere. Era un'irritazione sfuggente, chiaramente fisica e tuttavia non legata a una parte specifica dell'organismo. Sapeva per esperienza che provava quella sensazione perché non lavorava da diversi giorni; e sapeva che l'odore d'uno studio, la leggera resistenza opposta dai colori a olio spennellati su una tela e la vista di una nuova opera che prendeva forma costituivano l'unico rimedio. Provava quel malessere perché da vari giorni non dipingeva.

E poi era spaventato.

L'idea che aveva colpito contemporaneamente lui e Mitch la sera di quella sbronza a Clapham era esplosa con la freschezza e il fulgore di un'aurora tropicale. Ed era parsa così semplice: avrebbero dipinto qualche falso, l'avrebbero venduto a prezzi astronomici e poi avrebbero rivelato al mondo ciò che avevano fatto.

Sarebbe stato un colossale sberleffo al mondo borioso dell'arte, una pubblicità garantita e uno storico, rivoluzionario colpo di scena.

Nei giorni seguenti, quand'erano tornati sobri e avevano elaborato i dettagli dell'operazione, s'erano resi conto che non sarebbe stata semplice. Ma era apparsa sempre più fattibile quando erano passati a studiare la meccanica della frode.

Adesso, però, mentre stava per compiere il primo passo disonesto sulla strada della più grande truffa artistica del secolo, mentre stava per avviarsi su una rotta che l'avrebbe portato ben oltre la linea di confine tra la protesta e il reato, adesso che era solo a Parigi, se ne stava seduto in un ufficio, da Meunier, e fumava sigarette che non riuscivano a dargli conforto.

Il vecchio edificio elegante esacerbava il suo disagio. Con le colonne di marmo e gli alti soffitti a stucco faceva clamorosamente parte dello strato superiore del mondo dell'arte, lo strato così sicuro di sé... quella società che spalancava le braccia a Charles Lampeth e respingeva Peter Usher. Da centocinquant'anni i Meunier erano gli agenti d'una buona metà dei più famosi artisti francesi. Nessuno dei loro clienti era uno sconosciuto.

Un ometto dall'abito scuro un po' liso attraversò in fretta l'atrio ed entrò dalla porta aperta della stanza dove attendeva Peter. Aveva l'aria studiatamente indaffarata di coloro che tengono a far sapere al mondo d'essere oberati di lavoro.

«Io sono Durand» disse.

Peter si alzò. «Peter Usher. Sono un pittore di Londra, e cerco un lavoro *part-time*. Potrebbe aiutarmi?» Parlava un francese scolastico ma aveva un discreto accento.

Durand assunse un'espressione di rincrescimento. «Deve capire, Monsieur Usher, che riceviamo molte richieste del genere dai giovani studenti d'arte di Parigi.»

«Non sono uno studente. Mi sono diplomato allo Slade...»

«Comunque» l'interruppe Durand con un cenno spazientito, «cerchiamo sempre di aiutare, quand'è possibile.» Sembrava evidente che non approvava quella politica. «Tutto dipende dalla disponibilità che abbiamo al momento. E dato che per tutto il personale sono necessarie rigorose garanzie di sicurezza, è chiaro che non ci sono molte aperture per i visitatori occasionali. Ad ogni modo, se vuole seguirmi vedrò se possiamo trovarle qualcosa.»

Peter seguì Durand che si avviò a passo svelto verso un vecchio ascensore. La cabina scese tra rombi e scricchiolii. Vi entrarono e salirono al terzo piano.

Sul retro del palazzo c'era un piccolo ufficio dove un uomo corpulento e rubizzo sedeva a una scrivania. Durand gli parlò rapidamente in un francese colloquiale che Peter non riuscì ad afferrare. L'uomo rubizzo parve dare un suggerimento; Durand lo scartò, poi si rivolse a Peter.

«Purtroppo devo deluderla» disse. «Un posto ci sarebbe, ma si tratta di maneggiare i quadri e abbiamo bisogno di referenze.»

«Posso darle una referenza telefonica, se è disposto a chiamare Londra» disse Peter.

Durand sorrise e scosse la testa. «Deve essere qualcuno che conosciamo, Monsieur Usher.»

«Charles Lampeth? È un gallerista molto noto e...»

«Certo, conosciamo Monsieur Lampeth. Garantirà per lei?» intervenne l'uomo rubizzo.

«Le confermerà senza dubbio che sono un pittore e un uomo onesto. La sua galleria ha esposto i miei quadri per diverso tempo.»

L'uomo seduto alla scrivania sorrise. «In questo caso

sono sicuro che possiamo darle un lavoro. Se vuole tornare domattina, nel frattempo telefoneremo a Londra...»

Durand disse: «La spesa della telefonata dovrà essere
dedotta dal suo stipendio».

«È giusto» rispose Peter.

L'uomo rubizzo fece un cenno di commiato. Durand
disse: «L'accompagno». Non si prese il disturbo di nascondere la sua disapprovazione.

Peter andò subito in un bar e ordinò un doppio whisky,
anche se costava carissimo. Era stata una sciocchezza dare il nome di Lampeth. Non avrebbe rifiutato di garantire
per lui, certo: lo avrebbe fatto perché doveva avere qualche rimorso di coscienza. Ma adesso Lampeth avrebbe saputo che Peter aveva lavorato per Meunier a Parigi in
quel periodo... e forse sarebbe stato sufficiente per rovinare il piano. Era improbabile; ma era un rischio in più.

Peter tracannò il whisky, imprecò sottovoce e ne ordinò
un altro.

Il giorno dopo, Peter incominciò a lavorare nel reparto
imballaggio. Era agli ordini di un parigino anziano e curvo che aveva passato tutta la vita prendendosi cura dei
quadri altrui. La mattina toglievano dalle casse le opere
appena arrivate, e il pomeriggio avvolgevano in strati di
ovatta, polistirene, cartone ondulato e paglia i dipinti da
spedire. Peter faceva la parte più pesante del lavoro:
estraeva i chiodi dal legno e sollevava le cornici pesanti,
mentre il vecchio preparava morbidi letti per i quadri con
la stessa cura con cui avrebbe foderato la culla di un neo-
nato.

Avevano un grande carrello con quattro ruote pneumati-
che a sospensioni idrauliche; era d'alluminio lucidissimo e

il vecchio ne andava fiero. Il carrello veniva usato per spostare i dipinti di qua e di là per il palazzo. Sistemavano delicatamente un'opera sul supporto e poi Peter spingeva il carrello mentre il vecchio lo precedeva per aprire le porte.

Nell'angolo della stanza dove provvedevano a imballare c'era una piccola scrivania. Nel primo pomeriggio, mentre il vecchio era andato al gabinetto, Peter frugò in tutti i cassetti. Non c'era molto: i moduli in bianco che il vecchio compilava per tutte le opere, alcune biro, qualche fermaglietto dimenticato e un paio di pacchetti di sigarette vuoti.

Lavoravano lentamente e il vecchio parlava a Peter della sua vita e dei quadri. Detestava quasi tutta la pittura moderna, diceva, a parte pochi naïf e (sorprendentemente, pensava Peter) gli iperrealisti. I suoi giudizi non erano quelli di un esperto, ma non erano neppure ingenui: e Peter li trovava gradevoli. Il vecchio gli era simpatico e non gli andava molto la prospettiva d'imbrogliarlo.

Nei lunghi andirivieni per il palazzo Peter aveva visto spesso la carta intestata della ditta sulle scrivanie delle segretarie. Purtroppo le segretarie erano sempre lì, e c'era anche il vecchio. E la carta intestata non era sufficiente.

Soltanto alla fine del secondo giorno Peter mise gli occhi su ciò che era venuto a rubare.

Verso sera arrivò un quadro di Jan Rep, un anziano pittore olandese che viveva a Parigi e che era rappresentato da Meunier. Le sue opere si vendevano per somme enormi, e dipingeva pochissimo. Una telefonata avvertì il vecchio che il quadro stava per arrivare, e dopo qualche minuto ricevette la disposizione di portarlo subito nell'ufficio di Monsieur Alain Meunier, il maggiore dei tre fratelli che dirigevano la società.

Quando estrassero il dipinto dalla cassa, il vecchio lo guardò con un sorriso. «Bellissimo» disse. «Non è d'accordo?»

«Non è il genere che preferisco» commentò Peter.

L'altro annuì. «Sì, credo che Rep sia un pittore che piace ai vecchi.»

Caricarono l'opera sul carrello e la portarono con l'ascensore nell'ufficio di Monsieur Meunier. La piazzarono su un cavalletto d'acciaio e si scostarono.

Alain Meunier era un uomo grigio dalle gote cascanti, l'abito scuro e una luce avida negli occhietti celesti. Guardò il quadro da lontano, poi si avvicinò per studiare le pennellate e lo scrutò prima da una parte e poi dall'altra.

Peter era in piedi accanto all'enorme scrivania. Sul piano di cuoio c'erano tre telefoni, un portacenere di cristallo intagliato, una scatola di sigari, un portapenne di plastica rossa (forse era un regalo dei figli), la fotografia d'una donna e un piccolo timbro di gomma.

Gli occhi di Peter si fissarono sul timbro. Era macchiato d'inchiostro rosso alla base, e l'impugnatura era di legno lucido. Cercò di leggere la scritta rovesciata, ma riuscì a distinguere solo il nome della società.

Era quasi certo: era ciò che cercava.

Le dita gli prudevano per la smania di arraffarlo e cacciarlo in tasca; ma era certo che l'avrebbero visto. Anche se l'avesse preso mentre i due gli voltavano le spalle, forse la sparizione del timbro sarebbe stata notata subito dopo. Doveva esserci un sistema migliore.

Quando Meunier parlò, Peter trasalì. «Potete lasciarlo qui» disse il titolare con un cenno di commiato.

Peter spinse il carrello fuori dall'ufficio e ritornarono tutti e due al reparto imballaggio.

Per altri due giorni Peter si scervellò per trovare un sistema per arrivare al timbro che stava sulla scrivania di Meunier. Poi gli capitò un'occasione d'oro.

Il vecchio era seduto alla scrivania e compilava un modulo mentre Peter beveva un caffè. A un certo punto alzò gli occhi dal foglio e chiese: «Sa dove sono le scorte della cancelleria?».

Peter rifletté fulmineamente. «Sì» si affrettò a mentire.

Il vecchio gli porse una chiave. «Vada a prendermi qualche altro modulo. Li ho quasi finiti.»

Peter prese la chiave e uscì. Nel corridoio chiese a un fattorino dov'era il magazzino della cancelleria e il ragazzo gli disse che era al piano di sotto.

Lo trovò in un ufficio pieno di dattilografe, dove non era mai entrato. Una delle ragazze gli indicò lo sgabuzzino nell'angolo. Peter aprì la porta, accese la luce ed entrò.

Trovò subito una risma dei moduli che servivano al vecchio. Girò lo sguardo sugli scaffali e vide i pacchi di carta intestata. Ne aprì uno e prese una quarantina di fogli.

Ma non c'erano timbri di gomma.

In fondo allo sgabuzzino c'era un armadietto d'acciaio verniciato di verde. Peter provò ad aprirlo; lo sportello era chiuso a chiave. Prese un fermaglio da una scatoletta, lo piegò, lo inserì nella serratura e lo girò a destra e a sinistra. Stava cominciando a sudare. Da un momento all'altro le dattilografe si sarebbero chieste perché impiegava tanto tempo.

Con un clic che gli parve fragoroso come un tuono lo sportello si aprì. La prima cosa che Peter vide era una scatola di cartone scoperta che conteneva sei timbri di gomma. Ne girò uno e lesse la scritta.

"Periziato da Meunier, Parigi."

Represse a stento l'euforia. Come poteva farlo uscire dal palazzo?

Il timbro e la carta intestata avrebbero formato un pacco troppo voluminoso per farli passare sotto il naso delle guardie giurate, all'uscita. E avrebbe dovuto nasconderli al vecchio per il resto della giornata.

Gli venne un'idea. Estrasse un temperino dalla tasca e insinuò la lama sotto il rettangolo di gomma alla base, smuovendolo per staccarlo. Aveva le mani tanto sudate che stentava a stringere l'impugnatura di legno.

«È riuscito a trovare quello che cerca?» risuonò alle sue spalle la voce d'una ragazza.

Peter si sentì gelare. «Sì, grazie, l'ho trovato» disse senza voltarsi; i passi si allontanarono.

Il rettangolino di gomma si staccò. Peter prese da un ripiano una grossa busta, vi mise la carta intestata e il timbro e la chiuse. Poi tolse una biro da una scatola e scrisse sulla busta il nome e l'indirizzo di Mitch. Finalmente richiuse lo sportello dell'armadietto d'acciaio, mise sotto il braccio la risma di moduli e uscì.

All'ultimo momento ricordò il fermaglietto piegato. Tornò indietro, lo trovò sul pavimento e lo mise in tasca.

Rivolse un sorriso alle dattilografe e uscì dall'ufficio. Non tornò subito dal vecchio. Gironzolò per i corridoi fino a quando trovò un altro fattorino.

«Dove posso portarla per farla spedire?» chiese. «È per via aerea.»

«La porto io» si offrì il fattorino e guardò la busta. «Però bisogna scriverci sopra che è per via aerea» disse.

«Oh, mi dispiace.»

«Non importa. Ci penso io» disse il ragazzo.

«Grazie.» Peter tornò nel reparto imballaggio.

Il vecchio disse: «Ci ha messo molto tempo».

«M'ero perduto» spiegò Peter.

Tre sere dopo, nella modesta pensione dove alloggiava, Peter ricevette una telefonata da Londra.

«È arrivata» disse la voce di Mitch.

«Dio sia ringraziato» rispose Peter. «Domani tornerò a casa.»

Mitch il Matto era seduto sul pavimento dello studio quando arrivò Peter, e teneva la testa fulva appoggiata al muro. Contro la parete di fronte erano allineate tre tele di Peter, e Mitch le scrutava con la fronte aggrottata e una lattina di birra in mano.

Peter buttò la borsa da viaggio sul pavimento e lo raggiunse.

«Sai, se c'è qualcuno che merita di guadagnarsi da vivere dipingendo, quello sei tu» disse Mitch.

«Grazie. Dov'è Anne?»

«A fare la spesa.» Mitch si alzò pesantemente e andò a un tavolo impiastricciato di colori. Mostrò una busta che Peter riconobbe subito. «Buona idea, staccare la gomma dal timbro» disse. «Ma che bisogno avevi di spedirla per posta?»

«Non c'era altro modo per farla uscire dal palazzo senza correre rischi.»

«Vuoi dire che è stata la società a spedirla?»

Peter annuì.

«Gesù. Spero che nessuno abbia notato il nome sulla busta. Hai lasciato in giro altri indizi?»

«Sì.» Peter prese la lattina dalla mano di Mitch e bevve una lunga sorsata di birra. Si asciugò la bocca sull'avambraccio e rese la lattina. «Ho dovuto dare il nome di Charles Lampeth come referenza.»

«Hanno controllato?»

«Credo di sì. Comunque, volevano le referenze di qualcuno che conoscevano e che potevano interpellare per telefono.»

Mitch sedette sul tavolo e si grattò lo stomaco. «Ti rendi conto di aver lasciato una pista monumentale?»

«Non è tanto grave. Significa che con l'andare del tempo potrebbero risalire fino a noi. Ma anche così, non riusciranno a provare un bel niente. L'importante è che non ci peschino prima che abbiamo finito. Dopotutto ci bastano pochi giorni.»

«Se tutto andrà secondo i piani.»

Peter si voltò e sedette su uno sgabello. «E a te com'è andata?»

«Benone.» Mitch s'illuminò. «Mi sono accordato con Arnaz... ci finanzierà.»

«E che cosa ci guadagna?» chiese incuriosito Peter.

«Un sacco di risate. Ha un gran senso dell'humor.»

«Dimmi qualcosa di lui.»

Mitch tranguggiò il resto della birra e lanciò la lattina in un bidone. «È fra i trenta e i quaranta, per metà irlandese e per metà messicano. È cresciuto negli Stati Uniti. Ha incominciato a vendere quadri andando in giro per il Midwest con un camioncino quando aveva diciannove anni. Ha fatto quattrini a palate, ha aperto una galleria e ha imparato a capire l'arte. Poi è venuto in Europa per comprare, gli è piaciuto ed è rimasto.

«Adesso ha venduto le sue gallerie. È il classico imprenditore intercontinentale... compra e vende, guadagna a più non posso e se la ride dei gonzi. È un tipo moderatamente privo di scrupoli, ma sul mondo dell'arte la pensa come noi.»

«Quanto ha sganciato?»

«Mille sterline. Ma possiamo averne di più, se ci servono.»

Peter zufolò. «Che tipo simpatico. Che altro hai fatto?»

«Ho aperto un conto in banca per noi due... sotto falsi nomi.»

«Che nomi?»

«George Hollows e Philip Cox. Sono miei colleghi d'insegnamento. Per le referenze ho indicato il preside e il segretario del college.»

«Non sarà pericoloso?»

«Il college ha più di cinquanta insegnanti, quindi è difficile che possano risalire fino a me. La banca scriverà per chiedere se Hollows e Cox insegnano davvero lì e abitano agli indirizzi indicati. E riceverà la conferma.»

«E se il preside e il segretario ne parlassero con Hollows o Cox?»

«Non avranno occasione di vederli. Mancano quattro settimane all'inizio del nuovo semestre, e so che non sono in stretti rapporti d'amicizia con quei due.»

Peter sorrise. «Hai fatto un buon lavoro.» Sentì la porta di strada che si apriva, poi la voce di Anne. «Siamo quassù» gridò.

Anne entrò e lo baciò. «Immagino che sia andato tutto bene» disse. C'era una luce d'eccitazione nei suoi occhi.

«Sì, abbastanza bene» rispose Peter. Si voltò verso Mitch. «Il prossimo passo è il *grand tour*, no?»

«Sì. Tocca a te, credo.»

Anne disse: «Se voi due non avete bisogno di me, vado dalla bimba». E uscì.

«Perché proprio io?» chiese Peter.

«Io e Anne non dobbiamo farci vedere nelle gallerie prima della consegna.»

Peter annuì. «Sicuro. Allora sentiamo.»

«Ho fatto un elenco delle dieci gallerie più importanti di qui. Puoi girarle tutte in un giorno. Per prima cosa osservi bene che cos'hanno in abbondanza e che cosa gli manca. Se dobbiamo offrirgli un quadro, dobbiamo essere certi che gli interessi.

«In secondo luogo, il pittore dev'essere facilmente falsificabile. Deve essere morto, deve aver dipinto moltissimo e non deve esistere da nessuna parte una documentazione completa delle sue opere. Non copieremo capolavori... li creeremo noi. Tu scova un pittore così per ogni galleria, prendi un appunto e poi passa oltre.»

«Sì... dovremo escludere anche tutti quelli che usavano abitualmente materiali speciali. Sai, sarebbe tutto più facile se ci limitassimo agli acquerelli e ai disegni.»

«Non ricaveremmo la somma che ci serve per fare un colpo spettacolare.»

«E quanto pensi che possiamo rimediare, tutto sommato?»

«Resterei deluso se fosse meno di mezzo milione di sterline.»

Nel grande studio regnava un'atmosfera di concentrazione. Dalle finestre aperte la calda brezza d'agosto portava i suoni lontani del traffico. I tre lavorarono a lungo in un silenzio rotto solo dal ciangottare soddisfatto della bambina che giocava nel recinto in mezzo alla stanza.

La bimba si chiamava Vibeke e aveva appena un anno. Normalmente avrebbe cercato di attirare l'attenzione degli adulti; ma quel giorno era impegnata con un giocattolo nuovo, una scatola di plastica. A volte il coperchio s'inseriva e a volte no, e la piccola stava cercando di capire che cosa causava la differenza. Anche lei era assorta e concentrata.

Sua madre era seduta lì accanto, a un tavolo malconcio; scriveva con una stilografica, in bella grafia, su un foglio di carta intestata di Meunier. Il piano del tavolo era invaso da libri aperti: splendidi volumi d'arte illustrati, pesanti tomi da consultazione, qualche saggio inserito in una cartelletta. Ogni tanto Anne sporgeva la punta della lingua dall'angolo della bocca mentre lavorava con impegno.

Mitch si scostò dalla sua tela e sospirò. Stava dipingendo una corrida picassiana: una della serie che aveva portato a *Guernica*. Sul pavimento, accanto al cavalletto, c'era un disegno. Mitch lo guardò e aggrottò pensosamente la fronte. Alzò la mano destra e la mosse davanti alla tela, tracciando nell'aria una linea fino a quando fu certo di aver trovato la soluzione esatta e poi, con una rapida pennellata finale, la trasferì sul quadro.

Anne sentì il sospiro e alzò lo sguardo, dapprima verso Mitch e poi verso il dipinto. Un'espressione di sbalordimento le apparve sul viso. «Mitch, è geniale» disse.

Lui sorrise, soddisfatto.

«Davvero potrebbe farlo *chiunque*?» chiese Anne.

«No» rispose Mitch. «È una specializzazione. Il falso, per gli artisti, è un po' come l'imitazione per gli attori. Alcuni degli attori più grandi sono pessimi imitatori. È una cosa che certuni sanno fare e altri no.»

Peter chiese: «Come vanno i certificati di provenienza?».

«Ho preparato quelli del Braque e del Munch, e sto per finire quello del Picasso» rispose Anne. «Che specie di *pedigree* dovrebbe avere il tuo Van Gogh?»

Peter stava rifacendo il quadro che aveva realizzato nella Corsa al Capolavoro. Teneva aperto accanto a lui un volume di tavole a colori, e ogni tanto girava una pagina. I colori sulla sua tela erano scuri, le linee pesanti. La figura del becchino era poderosa e tuttavia stanca.

«Potrebbe essere stato dipinto tra il 1880 e il 1886» disse Peter. «Nel periodo olandese. A quei tempi, credo, non l'avrebbe comprato nessuno. Diciamo che rimase per qualche anno in suo possesso... o meglio, in possesso di suo fratello Theo. Poi venne acquistato da un collezionista fittizio di Bruxelles. Un gallerista l'ha scovato negli anni Sessanta. Puoi inventare il resto.»

«Devo mettere il nome d'un gallerista esistente?»

«Sì, è meglio... e scegline uno poco noto... magari tedesco.»

«Ehm.» Nello studio tornò il silenzio mentre i tre si rimettevano al lavoro. Dopo un po', Mitch tolse dal cavalletto la sua tela e ne cominciò un'altra: un Munch. Diede un fondo grigio chiaro sulla superficie, per creare la fragile luce norvegese che caratterizzava tanti quadri di Munch. Ogni tanto chiudeva gli occhi per scacciare dalla mente il fulgido sole inglese. Cercò di convincersi che aveva freddo, e ci riuscì così bene da rabbrividire.

Il silenzio fu spezzato da tre colpi secchi, battuti alla porta d'ingresso.

Peter, Mitch e Anne si guardarono sorpresi. Anne si alzò dalla scrivania e andò alla finestra, poi si voltò verso i due uomini. Era pallidissima.

«È un poliziotto» disse.

Gli altri due la guardarono, sbalorditi e increduli. Mitch fu il primo a riprendersi.

«Va ad aprire, Peter» disse. «Anne, nascondi i certificati, la carta intestata e il timbro. Io girerò le tele contro la parete. Presto!»

Peter scese lentamente la scala con il cuore in gola. Non aveva senso... era impossibile che la polizia fosse già arrivata fino a loro. Aprì la porta.

Il poliziotto era alto e giovane, con i capelli corti e un paio di baffetti radi. «Scusi, signore, quella macchina qui fuori è sua?» chiese.

«Sì... cioè no» balbettò Peter. «Quale?»

«La Mini blu con le fiancate dipinte.»

«Ah... è di un mio amico. Adesso è qui da me.»

«Allora lo avverta che ha lasciato i lampeggiatori accesi» disse il poliziotto. «Buongiorno, signore.» E se ne andò.

«Oh! Grazie!» disse Peter.

Salì la scala. Anne e Mitch lo guardarono con gli occhi pieni di paura.

Peter disse: «Mi ha chiesto di riferirti che hai lasciato accesi i lampeggiatori, Mitch».

Vi fu un momento di silenzio sbalordito. Poi scoppiarono tutti e tre in una risata fragorosa, quasi isterica.

Nel suo recinto, Vibeke alzò la testa a quel suono inatteso. La sua espressione sorpresa si dissolse in un sorriso. Si unì con entusiasmo alla risata degli adulti, come se capisse lo scherzo.

Parte terza

FIGURE IN PRIMO PIANO

"Dovete pensare al ruolo che le immagini come i quadri hanno nelle nostre vite. È un ruolo che non è affatto uniforme."

Ludwig Wittgenstein, filosofo

1

L'albergo a più piani di cemento armato, a Rimini, offriva la colazione all'inglese: pancetta, uova e tè. Lipsey adocchiò una porzione su un tavolo mentre attraversava la sala da pranzo. L'uovo era troppo cotto e sulla pancetta c'era una macchia verde poco promettente. Sedette e ordinò caffè e panini.

La sera precedente era arrivato tardi e aveva scelto male l'albergo. Adesso era ancora stanco. Nell'atrio aveva comprato il "Sun"... l'unico giornale inglese che fosse in vendita. Lo sfogliò mentre attendeva la colazione e sospirò esasperato: non era il tipo di giornale che preferiva.

Il caffè alleviò un poco la stanchezza, anche se sarebbe stata meglio una vera colazione come quelle che si preparava a casa sua. Mentre imburrava il panino, ascoltò le voci intorno a lui e riconobbe i vari accenti: Yorkshire, Liverpool, Londra. C'erano anche una o due voci tedesche, ma nessuna francese o italiana. Gli italiani avevano troppo buon senso per alloggiare negli alberghi che costruivano per i turisti; e nessun francese con la testa sulle spalle sarebbe andato in vacanza in Italia.

Finì il panino, bevve il caffè e rinunciò ad accendere un

sigaro. Andò a chiedere al portiere, che parlava inglese, dov'era l'autonoleggio più vicino.

Gli italiani stavano trasformando febbrilmente Rimini in una copia di Southend. C'erano modesti ristoranti dove si potevano mangiare pesce e patatine, finti pub, bar dove servivano hamburger e negozi di souvenir. Ogni fazzoletto di terra ancora libero era un cantiere. Le strade erano già affollate da gente in vacanza: i più anziani sfoggiavano camiciotti a maniche corte e le loro mogli indossavano abiti a fiori; i più giovani portavano jeans scampanati e fumavano Embassy comprate nei *duty-free shops* dell'aeroporto.

Lipsey accese il sigaro nell'ufficio dell'autonoleggio mentre due impiegati compilavano una quantità di moduli e controllavano il suo passaporto e la sua patente di guida internazionale. L'unica macchina disponibile al momento, gli dissero con aria di rammarico, era una grossa Fiat verde metallizzata. Veniva a costare piuttosto cara; ma quando si mise al volante Lipsey constatò che almeno era potente e comoda.

Tornò all'albergo e salì in camera sua. Si guardò allo specchio. Con il sobrio abito inglese e le scarpe pesanti aveva tutta l'aria del poliziotto, decise. Prese dalla valigia la macchina fotografica e se l'appese al collo. Poi fissò le lenti scure sugli occhiali e si studiò di nuovo allo specchio. Adesso sembrava un turista tedesco.

Prima di partire consultò le carte stradali che i noleggiatori gli avevano fatto premurosamente trovare nel vano portaoggetti della macchina. Poglio era a una trentina di chilometri di distanza lungo la costa, e circa tre chilometri nell'interno.

Uscì dalla città e si avviò su una strada di campagna a

ottanta chilometri orari, con il finestrino abbassato per godersi l'aria pura e il paesaggio piuttosto piatto.

Quando si avvicinò a Poglio la strada si restrinse ancora di più e Lipsey fu costretto a fermarsi sulla banchina per lasciar passare un trattore. Poi si fermò di nuovo a un bivio senza cartelli indicatori e chiamò un contadino in canottiera e berretto stinto, con i calzoni sorretti da un pezzo di corda. Chiese indicazioni in un italiano stentato. Le risposte del contadino erano incomprensibili, ma Lipsey s'impresse nella mente i gesti e li seguì.

Arrivò in paese. Niente indicava che fosse davvero Poglio. Le casette bianche erano sparse qua e là: alcune erano a una ventina di metri all'interno, altre sorgevano dal marciapiedi, come se fossero state costruite prima della strada. In centro, la via si biforcava intorno a un gruppo di costruzioni che si appoggiavano l'una all'altra per sostenersi. Un cartello pubblicitario della Coca-Cola, davanti a una delle case, indicava che quello era il bar.

Lipsey attraversò l'abitato e si ritrovò di nuovo in aperta campagna. Tornò indietro e notò un'altra strada che si dirigeva verso ovest. C'erano tre strade che portavano al paese, per quel che poteva valere, pensò.

Si fermò a fianco di una vecchia che reggeva una cesta. Era vestita di nero e il viso rugoso era bianchissimo, come se avesse evitato il sole per tutta la vita.

«Questa è Poglio?» chiese Lipsey.

La donna si scostò il fazzoletto dalla faccia e lo guardò con aria sospettosa. «Sì» rispose e passò oltre.

Lipsey parcheggiò la macchina accanto al bar. Erano le dieci passate e incominciava a far caldo. Sui gradini c'era un vecchio dal cappello di paglia, con un bastone sulle ginocchia, che approfittava di quel po' d'ombra.

Con un sorriso e un "buongiorno", Lipsey gli passò accanto ed entrò. Il bar era semibuio, e c'era odore di tabacco da pipa. C'erano due tavolini, qualche sedia e un banco con uno sgabello. Il piccolo locale era vuoto.

Lipsey sedette sullo sgabello e chiamò: «C'è qualcuno?».

Dal retro giunse un rumore. Probabilmente la famiglia dei padroni viveva lì. Accese un sigaro e aspettò.

Dopo qualche istante un giovane con la camicia sbottonata sbucò da dietro la tenda. Diede un'occhiata agli abiti di Lipsey, alla macchina fotografica e agli occhiali scuri. Sorrise. «Buongiorno, signore.»

«Vorrei una birra fresca, per favore.»

Il giovane aprì un piccolo frigo e prese una bottiglia. Il bicchiere si appannò mentre versava la birra.

Lipsey tirò fuori il portafogli per pagare. Quando lo aprì, la foto di Dee Sleign cadde sul banco e scivolò sul pavimento. Il giovane la raccolse.

Guardò la fotografia e la restituì. Evidentemente non aveva riconosciuto la ragazza. «Molto carina» commentò.

Lipsey sorrise e gli porse una banconota. Il barista gli diede il resto e sparì nel retro. Lipsey bevve la birra a piccoli sorsi.

A quanto pareva la signorina Sleign, con o senza l'amico, non era ancora arrivata a Poglio. Era abbastanza logico: Lipsey s'era precipitato sul posto, ma quei due non avevano fretta. Non immaginavano che qualcun altro fosse in caccia del Modigliani.

Avrebbe preferito cercare il quadro anziché la ragazza. Ma non sapeva perché era partita per Poglio. Forse le avevano detto che il dipinto era lì, o che qualcuno del posto sapeva dove si trovava, o forse c'era qualche indizio più complicato.

Finì la birra e decise di dare un'occhiata al paese. Quando uscì, il vecchio era ancora seduto sugli scalini. Non c'era in giro nessun altro.

Non c'era molto da vedere. L'unico negozio era un emporio; l'unico edificio pubblico era una piccola chiesa rinascimentale che doveva essere stata costruita in un momento di particolare prosperità all'inizio del secolo diciassettesimo. Non c'era né la stazione dei carabinieri né il municipio: evidentemente non era un comune, ma soltanto una frazione. Lipsey gironzolò a passo lento nel caldo, divertendosi a trarre deduzioni oziose sulla situazione economica del paesino in base agli edifici.

Un'ora dopo aveva dato fondo a tutte le possibilità e non aveva ancora deciso sul da farsi. Quando ritornò al bar, scoprì che gli avvenimenti, ancora una volta, avevano deciso per lui.

Davanti al bar, vicino ai gradini dove il vecchio stava ancora seduto all'ombra, era parcheggiata una Mercedes azzurra, un coupé con il tettuccio aperto.

Si fermò a osservarla e si chiese che cosa poteva fare. Quasi sicuramente lì c'era Dee Sleign o il suo amico, o magari tutti e due... Nessuno, in paese, poteva avere una macchina come quella; e nessun forestiero aveva un motivo per venire fin lì. D'altra parte, aveva avuto l'impressione che la ragazza e l'amico non avessero grandi disponibilità finanziarie: non era stato difficile dedurlo dopo aver visto l'appartamento parigino. Ma forse quei due si divertivano a vivere alla bohémien.

L'unico modo per scoprirlo era entrare nel bar. Non poteva restare lì fuori facendo finta di niente; vestito com'era, non era molto credibile come sfaccendato del paese. Salì i gradini e spinse la porta.

I due erano seduti a un tavolino e bevevano aperitivi con ghiaccio. Erano vestiti nello stesso modo: calzoni blu stinti e sformati e gilè rossi. La ragazza era carina, ma l'uomo era veramente bello, notò Lipsey. Era molto più vecchio di quanto avesse immaginato... doveva essere vicino alla quarantina.

Guardarono Lipsey con attenzione, come se lo aspettassero. Lui accennò un saluto distratto e si avvicinò al banco.

«Un'altra birra, signore?» chiese il giovane proprietario.

«Sì, grazie.»

Il giovane si rivolse a Dee Sleign. «Questo è il signore che le dicevo.»

Lipsey si voltò e inarcò le sopracciglia con aria di curiosità divertita.

La ragazza chiese: «Ha una mia foto nel portafogli?».

Lipsey rise, disinvolto, e rispose in inglese: «Quest'uomo crede che tutte le ragazze inglesi si somiglino. Per la verità, lei sembra un po' mia figlia. Ma è una rassomiglianza superficiale».

L'amico disse: «Possiamo vedere la foto?». Aveva una voce profonda e l'accento americano.

«Sicuro.» Lipsey tirò fuori il portafogli e vi frugò. «Ah! Dev'essere in macchina.» Pagò il barista, poi disse: «Mi permettete di offrirvi qualcosa?».

«Grazie» disse la signorina Sleign. «Campari soda per tutti e due.»

Lipsey attese che il giovane versasse i Campari e li portasse al tavolo. Poi disse: «È davvero strano, trovare altri turisti inglesi da queste parti. Venite da Londra?».

«No, abitiamo a Parigi» rispose la ragazza. Sembrava la più loquace dei due.

L'amico disse: «Sì, è strano. Cosa ci fa lei qui?».

Lipsey sorrise. «Sono un tipo solitario», rispose con l'aria di chi ha deciso di confidarsi. «Quando sono in vacanza mi piace abbandonare le strade più battute. Salgo in macchina e procedo a lume di naso fino a quando decido di fermarmi.»

«E dove alloggia?»

«A Rimini. E voi due... siete vagabondi come me?»

La ragazza fece per dire qualcosa ma l'uomo la prevenne. «Stiamo facendo una specie di caccia al tesoro» disse.

Lipsey attribuì quell'ingenuità alla sua buona stella. «Affascinante» commentò. «E che cosa dovreste trovare?»

«Un quadro di valore, speriamo.»

«È qui a Poglio?»

«Abbastanza vicino. C'è un castello, otto chilometri più avanti.» L'amico indicò verso sud. «Pensiamo che sia là. Fra poco ci andremo.»

Lipsey sorrise con aria condiscendente: «Be', questo deve rendere emozionante una vacanza... un po' fuori dall'ordinario... anche se non doveste trovare il tesoro».

«Appunto.»

Lipsey finì la birra. «Per quanto mi riguarda, di Poglio ho già visto abbastanza. Ora proseguirò.»

«Mi permette di offrirle un'altra birra?»

«No, grazie. Sono in macchina e devo guidare.» Lipsey si alzò. «È stato un piacere conoscervi. Arrivederci.»

A bordo della Fiat c'era un caldo infernale e Lipsey rimpianse di non averla parcheggiata all'ombra. Abbassò il finestrino e partì, lasciando che la brezza lo rinfrescasse. Era soddisfatto: i due gli avevano fornito una pista e avevano lasciato che li precedesse. Per la prima volta da quando aveva incominciato a occuparsi del caso si sentiva ottimista.

Si avviò sulla strada che portava a sud, nella direzione indicata dall'americano. La strada diventò polverosa. Rialzò il vetro e mise al massimo il condizionatore. Quando l'aria divenne fresca, si fermò per dare un'occhiata alle carte.

La carta stradale a grande scala rivelava che in effetti c'era un castello, più a sud. Sembrava che distasse più di otto chilometri, circa una quindicina; ma forse si trovava ancora nella frazione di Poglio. Era un po' scostato dalla strada principale (se così la si poteva chiamare) e Lipsey s'impresse nella mente le indicazioni.

Il tragitto gli portò via mezz'ora perché le strade erano in pessimo stato e mancavano i cartelli, ma finalmente arrivò a destinazione: una grande casa, contemporanea della chiesa di Poglio. Era a tre piani e agli angoli della facciata c'erano torri che sembravano uscite da un libro di fiabe. I muri erano scrostati e le finestre non molto pulite. Una scuderia era stata adibita a garage, e la porta aperta lasciava vedere una falciatrice a motore e una decrepita Citroën station-wagon.

Lipsey si fermò davanti al cancello e percorse a piedi il vialetto. Tra la ghiaia crescevano le erbacce e, vista da vicino, la casa era ancora più fatiscente.

Si fermò a guardare e in quel momento si aprì una porta e una signora anziana gli venne incontro. Lipsey si chiese come doveva comportarsi.

«Buongiorno» disse la signora in italiano.

I capelli grigi erano pettinati con cura, l'abito era elegante, e l'ossatura del viso lasciava capire che un tempo era stata bella. Lipsey accennò un inchino.

«Spero vorrà perdonarmi» disse.

«Non è un disturbo.» La signora, adesso, era passata all'inglese. «Posso esserle utile?»

Ormai Lipsey riteneva di aver intuito quanto bastava per decidere sul da farsi. «Vorrei sapere se posso dare un'occhiata all'esterno di questa splendida casa.»

«Certamente.» La signora sorrise. «È piacevole vedere che qualcuno la trova interessante. Io sono la contessa di Lanza.» Tese la mano. Lipsey la strinse e calcolò che ora le sue possibilità di successo si potevano valutare intorno al novanta per cento.

«Dunsford Lipsey, contessa.»

La signora lo condusse sul fianco della casa. «Fu costruita all'inizio del Seicento, quando tutti i terreni qui intorno furono assegnati alla mia famiglia in ricompensa dei servizi resi in una guerra. A quel tempo l'architettura rinascimentale era ancora predominante nelle campagne.»

«Ah. Allora fu costruita nella stessa epoca della chiesa di Poglio.»

La contessa annuì. «S'interessa d'architettura, signor Lipsey?»

«M'interessano tutte le cose belle, contessa.»

Lipsey notò che la signora reprimeva un sorriso; senza dubbio stava pensando che quell'inglese così compito aveva un certo fascino eccentrico. Ed era appunto ciò che voleva indurla a pensare.

La contessa gli parlò della casa come se raccontasse una vicenda imparata a memoria: gli indicò il punto in cui i muratori erano rimasti a corto d'un certo tipo di pietre e avevano dovuto usarne altre, le finestre nuove aggiunte nel Settecento, la piccola ala ovest costruita nell'Ottocento.

«Naturalmente la maggior parte delle terre d'una volta non sono più nostre, e quelle che ci sono rimaste non producono molto. Come può vedere, troppi restauri necessari sono stati rimandati all'infinito.» La signora si rivolse a Lipsey con un sorriso. «In Italia le contesse non sono sempre ricchissime, vede.»

«Ma non tutte appartengono a una famiglia antica come la sua.»

«No. Gli aristocratici di nobiltà più recente sono industriali e uomini d'affari, e le loro famiglie non hanno avuto il tempo di rammollirsi vivendo delle ricchezze ereditate.»

Avevano finito il giro della casa e adesso s'erano fermati all'ombra, ai piedi d'una delle torri. Lipsey disse: «Può accadere di rammollirsi anche grazie alle ricchezze guadagnate, contessa. Non posso dire che lavoro con molto impegno per vivere».

«E che cosa fa, se non sono indiscreta?»

«Ho un negozio d'antiquario a Londra. In Cromwell Road... deve venire, la prossima volta che farà un viaggio in Inghilterra. Io ci sto raramente.»

«Davvero non desidera vedere l'interno della casa?»

«Se non è troppo disturbo...»

«Oh, no.» La contessa lo precedette, e Lipsey sentì quel fremito alla nuca che provava sempre quando si avvicinava alla conclusione di un caso. Aveva lavorato bene; era riuscito a dare alla contessa la sensazione d'essere disposto ad acquistare qualcosa. Senza dubbio la signora aveva un bisogno disperato di denaro liquido.

Mentre si aggiravano per le stanze, gli occhi attenti di Lipsey scrutavano le pareti. C'erano moltissimi quadri, soprattutto ritratti a olio degli antenati e paesaggi ad acquerello. I mobili erano vecchi ma non antichi, e alcune delle stanze avevano odore di chiuso e di naftalina.

La contessa lo condusse su per una scalinata, e Lipsey comprese che il ballatoio era il luogo più importante dell'edificio. Al centro c'era un gruppo marmoreo vagamente erotico, un centauro abbracciato a una ninfa. I tappeti disposti sul pavimento lucido non erano lisi, e le pareti erano coperte di quadri.

«Questa è la nostra modesta collezione d'arte» disse la contessa. «Avremmo dovuto venderla molto tempo fa, ma il mio povero marito non voleva saperne. E io ho continuato a rimandare.»

Era un modo delicato per fargli capire che era disposta a vendere, pensò Lipsey. Abbandonò la finzione di un interesse casuale e incominciò a esaminare i dipinti.

Li guardò uno a uno da una certa distanza, socchiudendo gli occhi e cercando le tracce dello stile di Modigliani: la faccia lunga, il naso caratteristico che dava a tutte le donne, l'influenza della scultura africana, la tipica asimmetria. Poi si avvicinava e osservava la firma. Guardava le cornici per scoprire se erano state sostituite. Quindi prese dalla tasca interna della giacca una piccola, potente torcia elettrica e studiò i quadri, cercando di accertare se erano stati ridipinti.

Per alcune opere bastava una sola occhiata; altre richiedevano un esame più attento. La contessa attese paziente che avesse terminato. Alla fine, Lipsey si girò verso di lei.

«Ha diversi quadri notevoli, contessa» le disse.

La signora gli fece da guida nel resto della casa, piuttosto in fretta, come se sapessero entrambi che era soltanto una formalità.

Quando ritornarono sul ballatoio, la contessa si fermò. «Posso offrirle un caffè?»

«Grazie.»

Scesero in un salotto. La contessa si scusò e andò in cucina a ordinare il caffè. Lipsey attese mordicchiandosi le labbra. Non c'era nulla da fare: nessuno di quei quadri valeva più di qualche centinaio di sterline, e senza dubbio non c'era nessun Modigliani.

La contessa tornò. «Fumi pure, se vuole» disse.

«Grazie.» Lipsey accese un sigaro ed estrasse dal taschino un biglietto da visita che recava soltanto il nome, l'indirizzo e il numero telefonico dell'ufficio, senza precisare l'attività. «Posso lasciarle il mio indirizzo?» disse. «Quando deciderà di vendere la sua collezione, a Londra ho alcuni conoscenti che ci terrebbero a saperlo.»

Un lampo di delusione passò negli occhi della contessa. Aveva capito che Lipsey non intendeva comprare nulla.

«Questa è tutta la sua collezione, vero?»

«Sì.»

«Non ci sono altri quadri in soffitta o in cantina?»

«No, mi dispiace.»

Una cameriera portò il vassoio con il caffè e la contessa lo versò. Fece diverse domande su Londra, la moda, i nuovi negozi e i ristoranti, e Lipsey rispose come poté.

Dopo dieci minuti esatti di conversazione, finì il caffè e si alzò. «La ringrazio per la sua cortesia, contessa. La prego di mettersi in contatto con me la prossima volta che verrà a Londra.»

«La sua visita mi ha fatto molto piacere, signor Lipsey.» La contessa lo accompagnò alla porta.

Lipsey percorse il vialetto a passo svelto e si mise al volante. Invertì la marcia e scorse per un momento la contessa nello specchietto retrovisore, prima di allontanarsi. Era ancora ferma sulla soglia.

Si sentiva molto deluso. Era stato tutto inutile. Se mai c'era stato un Modigliani nel castello, adesso non c'era più.

Naturalmente c'era un'altra possibilità, una possibilità di cui avrebbe dovuto tenere conto. L'americano, l'amico di Dee Sleign, poteva averlo indirizzato di proposito su una pista sbagliata.

Aveva sospettato di lui? Sì, era possibile, e le possibilità andavano sempre considerate nel modo dovuto. Sospirò e prese una decisione: avrebbe fatto bene a tener d'occhio i due fino a quando avesse avuto la certezza che avevano desistito dalla ricerca.

Non sapeva bene come avrebbe potuto sorvegliarli. Non poteva seguirli come avrebbe fatto in una città. Avrebbe dovuto tenersi a distanza e chiedere di loro.

Ritornò a Poglio per un percorso un po' diverso, dirigendosi sulla terza strada che usciva dal paese, quella verso ovest. A circa un chilometro e mezzo da Poglio vide una casa con la pubblicità d'una marca di birra alla finestra. Davanti c'era un tavolino rotondo di ferro. Sembrava un bar.

Lipsey aveva fame e sete. Lasciò la strada, si fermò sullo spiazzo di terra battuta davanti alla casa e spense il motore.

2

«Sei un bugiardo, Mike!» esclamò Dee, sgranando gli occhi con aria di finta indignazione.

Le labbra carnose di Mike s'incurvavano in un sogghigno malizioso; ma gli occhi non sorridevano. «Non è il caso di avere scrupoli quando si ha a che fare con un tipo come quello.»

«Davvero? A me sembrava piuttosto simpatico. Un po' noioso, se mai.»

Mike bevve un sorso del quinto Campari e accese un'altra sigaretta. Fumava le Pall Mall senza filtro, e Dee sospettava che fosse questo a dargli la raucedine. Mike lanciò uno sbuffo di fumo e disse: «Già il fatto che fosse qui contemporaneamente a noi era una strana coincidenza. Voglio dire, nessuno verrebbe mai in questo posto, neppure un solitario amante dei vagabondaggi. Ma il quadro spiega tutto. Le chiacchiere sulla figlia le ha improvvisate sul momento. Cercava te».

«Mi aspettavo che prima o poi lo dicessi.» Dee gli prese la sigaretta dalle dita, tirò una boccata e gliela restituì.

«Sei sicura di non averlo mai visto prima d'oggi?»

«Sicurissima.»

«Bene. Adesso prova a riflettere: chi può aver saputo del Modigliani?»

«Sei convinto che sia proprio per questo? Qualcun altro s'è messo in caccia del quadro? Mi sembra un po' melodrammatico.»

«Un accidente. Senti, tesoro, nel mondo dell'arte una voce di questo genere si diffonde più in fretta di un'epidemia. Dunque, a chi l'hai detto?»

«Be'... a Claire, credo. Almeno, può darsi che gliel'abbia accennato mentre metteva in ordine l'appartamento.»

«Claire non conta molto. Hai scritto a casa?»

«Oh, Dio. Sì. Ho scritto a Sammy.»

«E chi è costui?»

«È una donna. Samantha Winacre, l'attrice.»

«Ne ho sentito parlare. Non sapevo che la conoscessi.»

«Non ci frequentiamo molto, ma siamo rimaste amiche. Eravamo compagne di scuola. Lei ha qualche anno più di me, ma aveva incominciato gli studi più tardi. Mi pare che suo padre fosse sempre in giro per il mondo o qualcosa di simile.»

«Ha la passione dell'arte?»

«No, a quanto ne so io. Però immagino che molti dei suoi amici se ne interessino.»

«Hai scritto a qualcun altro?»

«Sì.» Dee esitò.

«Spara.»

«Allo zio Charlie.»

«Il gallerista?»

Dee annuì in silenzio.

«Cribbio.» Mike sospirò. «Questo spiega tutto.»

Dee sgranò gli occhi, scandalizzata. «Credi che lo zio Charles cercherebbe di trovare il quadro prima di me?»

«È un mercante d'arte, no? Sarebbe disposto a vendere anche sua madre per una scoperta sensazionale.»

«Vecchio mascalzone. Comunque, tu hai spedito quella specie di beccamorti su una falsa pista.»

«Sì, e dovrebbe tenerlo impegnato per un po'.»

Dee sorrise. «C'è davvero un castello a otto chilometri da qui?»

«Diavolo, non lo so. Di certo ne troverà uno, prima o poi. E perderà parecchio tempo per riuscire a entrare e cercare il Modigliani.» Mike si alzò. «Quindi abbiamo un vantaggio su di lui.»

Pagò e uscì nel sole abbacinante. Dee osservò: «Credo che la chiesa sia il posto migliore per incominciare. I pastori sanno sempre tutto di tutti».

«In Italia ci sono i preti, non i pastori» la corresse Mike, che era stato allevato come cattolico.

Si avviarono per la strada tenendosi per mano. Il caldo opprimente imponeva anche a loro il ritmo torpido della vita del paese: si muovevano a passo lento e parlavano poco, adattandosi inconsciamente al clima.

Arrivarono alla bella chiesetta e si fermarono qualche minuto nell'ombra fresca. Mike chiese: «Hai già pensato a quel che farai del quadro, se lo troverai?».

«Sì, ci ho pensato molto» rispose Dee, arricciando il naso con aria riflessiva. «La cosa che più desidero è studiarlo. Dovrebbe suggerirmi abbastanza idee per metà della tesi... e il resto è solo aria fritta. Però...»

«Però che cosa?»

«Questo devi dirlo tu.»

«I quattrini.»

«Maledettamente giusto!» Dee si accorse troppo tardi di aver imprecato e si guardò intorno con aria nervosa.

«Deve valere parecchio.»

«Lo so.» Dee ributtò i capelli all'indietro. «E non cerco neppure d'illudermi che questo non m'interessi. Forse potremmo vendere il quadro a qualcuno che me lo lasciasse vedere quando voglio... magari un museo.»

Mike osservò: «Hai detto *potremmo*, al plurale.»

«Certo! Tu ci stai, vero?»

Mike le posò le mani sulle spalle. «Mi hai appena invitato.» Le diede un bacio lieve sulle labbra. «Hai appena ingaggiato un agente, e penso che abbia fatto un'ottima scelta.»

Lei rise. «Cosa credi che dovrei fare per lanciarlo sul mercato?»

«Non lo so con precisione. Ho qualche idea, ma niente di definito. Per prima cosa troviamo il quadro.»

Entrarono nella chiesa e si guardarono intorno. Dee si sfilò i sandali e posò i piedi accaldati sulle pietre fresche. In fondo alla navata, un prete tutto solo era impegnato in una cerimonia. Dee e Mike attesero in silenzio.

Quando ebbe finito, il prete si avvicinò con un sorriso cordiale sulla faccia da contadino.

Dee mormorò. «Forse lei può aiutarci, reverendo.»

Il prete non era affatto giovane come lo faceva apparire da lontano il taglio dei capelli corti. «Lo spero» disse. Parlava in tono normale, ma la voce rimbombava nel silenzio vuoto della chiesa. «Immagino che vogliate un aiuto secolare, anche se preferirei che le cose stessero diversamente. Ho indovinato?»

Dee annuì.

«Allora usciamo.» Li prese per i gomiti e li guidò gentilmente. Quando furono fuori alzò lo sguardo al cielo. «Grazie a Dio c'è un sole splendido» disse. «Ma lei deve stare attenta, mia cara, con la sua carnagione delicata. Cosa posso fare per voi?»

«Stiamo cercando notizie di un uomo» spiegò Dee. «Si chiamava Danielli. Era un rabbino livornese e pensiamo che si sia trasferito a Poglio intorno al 1920. Era ammalato e anziano, e con ogni probabilità morì poco più tardi.»

Il prete aggrottò la fronte e scosse la testa. «È un nome che non ho mai sentito. Certo, nel 1920 io non ero ancora nato. E se era ebreo, non fu sepolto con i riti della Chiesa e quindi non può risultare dai nostri registri.»

«Non ha mai sentito parlare di lui?»

«No. E a Poglio non esiste una famiglia Danielli. Però può darsi che in paese qualcuno abbia una memoria migliore della mia. Ed è difficile nascondersi in un posto così piccolo.» Il prete li guardò per un momento, esitando come se dovesse prendere una decisione. «Chi vi ha detto che venne qui?»

«Un altro rabbino... a Livorno.» Dee si accorse che il prete era curioso di sapere perché erano interessati a quell'uomo.

Il prete esitò, poi chiese: «Siete suoi parenti?».

«No.» Dee lanciò un'occhiata a Mike, che annuì. «Per essere sincera, stiamo cercando di ritrovare un quadro che probabilmente era in suo possesso.»

«Ah.» Il prete era convinto. «Be', Poglio non è il posto più adatto per trovare un capolavoro. Comunque, vi faccio i miei auguri.» Strinse la mano a entrambi e rientrò in chiesa.

Dee e Mike s'incamminarono. «Un uomo simpatico» disse pigramente lei.

«Anche la chiesetta è simpatica. Dee, dobbiamo sposarci in una chiesa?»

Dee si fermò e si voltò a guardarlo. «Sposarci?»

«Non vuoi sposarmi?»

«Mi hai appena invitata... ma credo che tu abbia fatto un'ottima scelta.»

Mike rise e scrollò le spalle, imbarazzato. «Mi è scappata» disse.

Lei lo baciò, affettuosamente. «Però la proposta ha un certo fascino infantile» disse.

«Be', dato che ormai te l'ho chiesto...»

«Mike, se sposerò qualcuno quello sarai tu. Ma non so se voglio sposarmi.»

«Anche la tua risposta ha un certo fascino infantile» commentò Mike.

Dee gli prese la mano. Proseguirono. «Perché non mi rivolgi una richiesta un po' meno impegnativa?»

«Per esempio?»

«Chiedimi di convivere con te un paio d'anni, per vedere come va.»

«Per poter fare di me ciò che vuoi e poi abbandonarmi sul lastrico?»

«Sì.»

Questa volta fu Mike a fermarla. «Dee, noi buttiamo sempre tutto sullo scherzo. È un sistema per mantenere il nostro rapporto su un basso profilo sentimentale. Ecco perché all'improvviso incominciamo a parlare del nostro futuro in un momento pazzesco. Ma ti amo, e voglio vivere con te.»

«Tutto merito del mio quadro, vero?» Dee sorrise.

«Oh, andiamo!»

Lei assunse un'espressione seria e disse, abbassando la voce: «Sì, Mike, mi piacerebbe vivere con te».

Mike la cinse con le braccia e la baciò sulla bocca: più

lentamente, questa volta. Una donna che stava passando distolse gli occhi scandalizzata. Dee mormorò: «Finiremo per farci arrestare per atti osceni in pubblico».

Proseguirono più lentamente, tenendosi abbracciati. Dee chiese: «Dove andremo ad abitare?».

Mike la guardò sorpreso. «South Street non ti va?»

«Ma è un appartamentino da scapolo!»

«Sciocchezze. È grande ed è nel centro di Mayfair.»

Lei sorrise. «Lo sapevo! Non hai riflettuto abbastanza, Mike. Io voglio mettere su casa con te, non insediarmi semplicemente nel tuo appartamento.»

«Mmmm.» Mike assunse un'aria pensierosa.

«L'appartamento è pieno di ciarpame, dev'essere pratica-camente rimesso in sesto, e la cucina fa pena. Il mobilio è raffazzonato...»

«E allora, che cosa vorresti? Una casetta a schiera con tre stanze da letto a Fulham? Una casa di città a Ealing? Una villa nel Surrey?»

«Un posto luminoso e grande, con vista su un parco ma non lontano dal centro.»

«Ho l'impressione che hai in mente qualcosa di preci-so.»

«Regent's Park.»

Mike rise. «Diavolo! Da quanto tempo avevi già deci-so?»

«Non sapevi che sono una cacciatrice di buoni partiti?» Dee sorrise, e lui chinò di nuovo la testa per baciarla.

«L'avrai» promise. «Un appartamento nuovo... potrai farlo ristrutturare e arredare quando torneremo in città...»

«Ehi, calma! Non sappiamo neppure se ne troveremo uno libero.»

«Lo troveremo.»

Si fermarono accanto alla Mercedes e si appoggiarono alla fiancata quasi rovente. Dee alzò il viso verso il sole. «Tu quando l'hai deciso?»

«Non credo di averlo deciso affatto. Ma a poco a poco s'è imposta nella mia mente l'idea di vivere con te tutta la vita. E quando me ne sono accorto, ormai era troppo tardi per cambiare idea.»

«Strano.»

«Perché?»

«Per me è stato il contrario.»

«Tu quando l'hai deciso?»

«Quando ho visto la tua macchina davanti all'albergo a Livorno. Ed è strano che tu me l'abbia chiesto poco tempo dopo.» Dee aprì gli occhi e abbassò la testa. «Sono contenta che tu l'abbia fatto.»

Si guardarono in silenzio per un lungo istante. Poi Mike disse: «È pazzesco. Dovremmo essere impegnati sino allo spasimo nella nostra caccia al quadro, e invece stiamo qui a farci gli occhi di triglia».

Dee rise. «E va bene. Chiediamo al vecchio.»

L'uomo con il cappello di paglia e il bastone sulle ginocchia s'era spostato con l'ombra, dai gradini del bar a un portoncino dietro l'angolo; ma era così assolutamente immobile da indurre Dee a fantasticare che si fosse trasferito per levitazione da un luogo all'altro senza muovere un muscolo. Quando si accostarono, si avvidero che gli occhi smentivano quell'assenza di vita: erano piccoli e vivaci, di una strana sfumatura di verde.

Dee gli disse: «Buongiorno, signore. Sa dirmi se a Poglio c'è una famiglia Danielli?».

Il vecchio scrollò la testa. Dee non capì se intendeva dire che la famiglia non c'era o che lui non lo sapeva. Mike le toccò il gomito e girò l'angolo per avviarsi al bar.

Dee si accosciò accanto al vecchio e gli sorrise. «Lei deve avere tanti ricordi» disse.

Il vecchio si raddolcì un poco e annuì.

«Era qui nel 1920?»

Lui rise. «Molto prima... molto, molto prima.»

Mike ritornò in fretta con un bicchiere in mano. «Il barista mi ha detto che beve grappa» spiegò in inglese. Porse il bicchiere al vecchio, che lo prese e lo vuotò in un unico sorso.

Anche Dee parlò in inglese. «È un sistema piuttosto rozzo» commentò irritata.

«Sciocchezze. Il barista mi ha detto che è rimasto ad aspettare tutta la mattina che qualcuno dei turisti gli offrisse da bere. È l'unica ragione per cui sta qui seduto.»

Dee riprese a parlare in italiano. «Ricorda qualcosa del 1920?»

«Sì» rispose il vecchio.

«C'era una famiglia Danielli a quei tempi?» chiese impaziente Mike.

«No.»

«Ricorda qualche forestiero che venne a stare in paese più o meno a quell'epoca?»

«Ne arrivarono diversi. C'era stata la guerra, sapete.»

Mike guardò Dee con aria esasperata, poi chiese: «C'è qualche ebreo che abita qui?». Ormai stava per dare fondo alla sua modesta conoscenza dell'italiano.

«Sì. Hanno il bar sulla strada che esce dal paese e va verso l'interno. Era là che abitava Danielli quand'era vivo.»

Guardarono il vecchio, sbalorditi. Mike si rivolse a Dee

e mormorò in inglese: «Perché diavolo non ce l'ha detto subito?».

«Perché non me l'ha chiesto, giovane stronzo» disse l'uomo in inglese. Sghignazzò allegramente, soddisfatto dello scherzo, si alzò un po' a fatica e si allontanò zoppicando e continuando a ridere. Ogni tanto si soffermava e batteva il bastone sul marciapiedi e rideva ancora più forte.

L'espressione stupita di Mike era così comica che anche Dee scoppiò in una risata. Era una gaiezza contagiosa, e Mike rise a sua volta. «Ci sono proprio caduto come uno scemo!»

«Sarà meglio che andiamo in cerca del bar sulla strada che porta all'interno» propose Dee.

«Fa caldo. Prima beviamo qualcosa.»

«Cedo alla violenza.»

Rientrarono nel bar fresco e semibuio. Il giovane proprietario era dietro il banco. Quando li vide, sorrise divertito.

«Lei lo sapeva!» esclamò Dee in tono d'accusa.

«Sì, lo confesso. Per la verità, il vecchio non aspettava che qualcuno gli offrisse da bere: aspettava l'occasione per giocare quel tiro a qualcuno. Qui i turisti capitano sì e no una volta all'anno, e per lui è un grande avvenimento. Stasera tornerà a raccontare a tutti quanti la sua prodezza.»

«Due Campari, per favore» disse Mike.

3

Il prete si chinò sul sentiero del sagrato per raccogliere l'involucro d'una tavoletta di cioccolato. Lo appallottolò nella mano e si rialzò adagio per attutire il dolore reumatico che gli tormentava il ginocchio. Soffriva di quei dolori perché passava gli umidi inverni italiani tutto solo in una vecchia casa fredda, lo sapeva: ma era una cosa normale che un prete fosse povero. Com'era possibile che un uomo diventasse prete, se nel paese c'era qualcuno più povero di lui? Quel pensiero era una specie di liturgia di sua invenzione. A poco a poco il dolore al ginocchio si calmò.

Lasciò il sagrato e attraversò la strada per andare a casa. La fitta reumatica si fece sentire di nuovo: una pugnalata rabbiosa che lo fece incespicare. Raggiunse a stento la casa e si appoggiò al muro, sostenendo tutto il peso sulla gamba sana.

Girò la testa verso il centro del paese e vide i due giovani che erano venuti a parlargli poco prima. Camminavano lentamente e si tenevano abbracciati e si scambiavano sguardi e sorrisi. Sembravano molto innamorati... più di quanto gli fossero apparsi un'ora prima. L'esperienza che il prete aveva acquisito nel corso degli anni ascoltando le confessioni dei fedeli gli suggeriva che in quegli ultimi minuti c'era stata una svolta, nei rapporti tra quei due. Forse era dovuto un po' alla visita nella casa del Signore; forse, dopotutto, aveva dato loro un aiuto spirituale.

Aveva commesso un peccato, certo, quando aveva mentito a proposito di Danielli. Ma la bugia gli era venuta automaticamente alle labbra, per un'abitudine che aveva acquisito molto tempo prima, durante la guerra. A quei tempi aveva considerato suo dovere nascondere la famiglia ebrea ai curiosi; e tutto il paese aveva mentito come lui, con la sua benedizione. Sarebbe stato un peccato mortale dire la verità.

E oggi, quando due sconosciuti erano comparsi all'improvviso e avevano chiesto di Danielli, avevano fatto scattare nel prete una reazione istintiva, l'impulso di proteggere gli ebrei. Certo, la loro richiesta doveva essere senza dubbio innocente: i fascisti non c'erano più da venticinque anni e non era più il caso di mentire. Ma non aveva avuto il tempo di riflettere... e questa era la ragione di tanti peccati, e una giustificazione molto misera.

Il prete si gingillò con l'idea di seguire i due giovani, di spiegarsi e di dire la verità, per mettersi la coscienza a posto. Ma era superfluo: qualcuno, in paese, li avrebbe indirizzati al bar alla periferia di Poglio, dove gli ebrei si guadagnavano da vivere modestamente.

Il dolore al ginocchio s'era dileguato. Entrò nella casetta e passò sopra la pietra malferma ai piedi della scala con quel vago senso d'affetto che riservava alle seccature abituali, come i reumatismi e come i peccati che sentiva ripetere ogni settimana dalle pecore nere del suo piccolo gregge. Lui annuiva malinconicamente e impartiva l'assoluzione.

Andò in cucina, prese una pagnotta e l'affettò con un coltello smussato. Tirò fuori il formaggio, raschiò via la muffa e mangiò. Il formaggio aveva un buon sapore: la muffa lo migliorava. Era una piccola scoperta che non avrebbe mai fatto se fosse stato ricco.

Quando ebbe terminato di pranzare pulì il piatto con uno strofinaccio e lo rimise nella credenza. Trasalì nel sentir bussare alla porta.

Gli abitanti del paese non bussavano mai: aprivano e lo chiamavano. Quella era una visita formale... ma a Poglio si sapeva sempre in anticipo se qualcuno doveva venire per una visita del genere. Andò alla porta, piacevolmente incuriosito.

Quando aprì, si trovò davanti un giovane che non poteva avere più di trent'anni, con i capelli biondi e lisci piuttosto lunghi. Era vestito in modo abbastanza inconsueto, secondo il prete: un abito a doppio petto e una cravatta a farfalla. Disse, in italiano con un accento tremendo: «Buongiorno, padre».

Uno straniero, pensò il prete. Questo spiegava perché aveva bussato. Era strano che in paese fossero arrivati tanti stranieri nello stesso giorno.

Lo sconosciuto chiese: «Posso parlarle un momento?».

«Certo.» Il prete lo fece entrare nella cucina spoglia e gli indicò una sedia.

«Parla inglese?»

Il prete scosse la testa con aria di rammarico.

«Ah. Be', sono un mercante d'arte e vengo da Londra» continuò stentatamente il visitatore. «Cerco vecchi quadri.»

Il prete annuì, pensoso. Senza dubbio quest'uomo e la coppia che era venuta a parlargli in chiesa erano impegnati nella stessa ricerca. Il fatto che fossero arrivati tutti a Poglio nello stesso giorno in cerca di quadri non poteva essere una coincidenza.

«Io non ne ho» rispose. Indicò con la mano le pareti nude della stanza, come per far capire che se avesse avuto un po' di denaro avrebbe comprato prima le cose più indispensabili.

«Forse nella chiesa?»

«No. In chiesa non ci sono quadri.»

Il visitatore rifletté per un momento, cercando le parole. «C'è un museo in paese? O qualcuno che abbia quadri in casa?»

Il prete rise. «Figliolo, il paese è molto povero. Nessuno compra quadri. Quando le cose vanno bene gli abitanti comprano la carne o un fiasco di vino. Non ci sono collezionisti d'arte.»

Lo sconosciuto sembrava molto deluso. Il prete si chiese se doveva parlargli dei suoi concorrenti. Ma allora avrebbe dovuto parlare anche di Danielli e dare a quest'uomo informazioni che aveva negato ai due innamorati.

Sarebbe stato ingiusto. Ma non voleva mentire ancora. Decise che avrebbe detto all'uomo di Danielli, se gliel'avesse chiesto; altrimenti avrebbe taciuto.

Il visitatore gli rivolse una domanda che lo sconcertò.

«Qui c'è una famiglia che si chiama Modigliani?»

Il prete inarcò le sopracciglia. L'altro si affrettò a chiedere: «Perché questa domanda la sorprende?».

«Giovanotto, lei crede davvero che qui a Poglio ci sia un Modigliani? Non sono esperto di queste cose; ma so che Modigliani fu il più grande pittore italiano di questo secolo. Non è probabile che una delle sue opere sia rimasta ignorata, tanto più a Poglio.»

«E qui non c'è una famiglia Modigliani» insistette lo straniero.

«No.»

L'uomo sospirò. Rimase seduto per un momento, aggrottando la fronte e tenendo gli occhi fissi sulla punta di una scarpa. Poi si alzò.

«La ringrazio comunque» disse.

Il prete l'accompagnò alla porta. «Mi spiace di non aver potuto esserle utile» disse. «Dio la benedica.»

Quando la porta si chiuse alle sue spalle, Julian rimase fermo per un momento. Batté le palpebre nel sole e aspirò l'aria pura. Dio, come puzzava quella casa. Il povero vecchio non aveva mai imparato a badare a se stesso, probabilmente... gli uomini italiani erano abituati a farsi servire dalle madri e dalle mogli, se non ricordava male.

Era strano che l'Italia riuscisse a trovare un numero sufficienti di preti, per via di quell'inconveniente e dei voti di castità... Sorrise maliziosamente, ricordando la recente, improvvisa fine della sua castità involontaria. Era ancora euforico per quella scoperta. Aveva dimostrato che l'impotenza era stata tutta colpa di Sarah. Quella sgualdrina aveva cercato di far finta che non le piacesse, ma la commedia non era durata. E con questo e la vendita della macchina e il Modigliani... forse stava ritrovando la forma.

Ma non aveva ancora trovato il quadro. Era necessario quell'ultimo colpo di genio, per dare il tocco definitivo alla sua rinascita personale. La cartolina della ragazza che si firmava "D" era una base fragile per le sue speranze, lo sapeva: eppure si facevano le più grandi scoperte seguendo le piste più dubbie.

La prospettiva del Modigliani s'era allontanata durante l'incontro con il prete. Se era lì a Poglio, trovarlo sarebbe stato difficile. C'era un'unica consolazione: a quanto pareva, Julian era arrivato per primo. Se in un paese tanto piccolo qualcuno avesse comprato un quadro, nel giro di poche ore l'avrebbero saputo tutti gli abitanti.

Si fermò accanto alla piccola Fiat presa a nolo e si chiese che cosa poteva fare. Era entrato in paese da sud, e la chiesa era stato uno dei primi edifici che aveva incontrato. Adesso poteva cercare il municipio o la stazione dei carabinieri. Il prete gli aveva detto che non c'era un museo.

Julian decise di effettuare una rapida ricognizione e risalì a bordo dell'utilitaria. Il motore ronzò mentre si avviava lentamente nel paese. In meno di cinque minuti aveva osservato tutti gli edifici, e nessuno gli sembrava promettente. Il coupé Mercedes azzurro parcheggiato davanti al bar doveva appartenere a qualcuno piuttosto ricco, ed era improbabile che abitasse a Poglio.

Tornò indietro e si fermò di nuovo dove aveva parcheggiato la prima volta. Non c'era altro da fare: avrebbe dovuto bussare a tutte le porte. Ma anche se si fosse presentato in tutte le case del paese, non avrebbe impiegato l'intero pomeriggio.

Guardò le piccole case imbiancate: alcune erano isolate e circondate da orticelli, altre erano contigue. Si chiese da quale doveva incominciare. Poiché era egualmente inverosimile che il Modigliani si trovasse in una di esse, scelse la più vicina e si avviò.

Non c'era un picchiotto o un campanello. Bussò sulla porta verniciata di marrone e attese.

La donna che venne ad aprire teneva in braccio un bimbetto, e il piccolo le affondava le manine nei capelli bruni e un po' sporchi. Gli occhi ravvicinati e il naso aguzzo le davano un'aria sfuggente.

Julian disse: «Sono un mercante d'arte e vengo dall'Inghilterra. Cerco vecchi quadri. Lei ha qualche quadro da mostrarmi?».

La donna lo fissò a lungo in silenzio con aria incredula, diffidente. Poi scosse la testa senza parlare e richiuse la porta.

Julian si allontanò, depresso. Avrebbe voluto smetterla con quelle visite: lo facevano sentire come un venditore porta-a-porta. La seconda casa aveva un aspetto scostante. Le finestrelle affiancate alla porta stretta gli rammentavano il volto della donna con il bambino in braccio.

Si impose di continuare. Questa porta aveva un picchiotto a testa di leone. La vernice era abbastanza nuova, le finestre pulite.

Venne ad aprire un uomo in maniche di camicia, con il panciotto sbottonato. Fumava una pipa con il bocchino rosicchiato. Era sulla cinquantina. Julian ripeté la domanda.

L'uomo si accigliò, poi sembrò capire il pessimo italiano di Julian e s'illuminò. «Venga» disse sorridendo.

La casa era pulita e arredata con un certo garbo; i pavimenti erano lucidi, le porte splendevano. L'uomo invitò Julian a sedere.

«Vuole vedere i quadri?» Parlava adagio e a voce alta, come se avesse a che fare con un sordo. Forse era per via del suo accento, pensò Julian, e annuì in silenzio.

L'uomo alzò un dito per indicargli di attendere e uscì. Dopo qualche istante tornò con un mucchio di fotografie in cornice, tutte ingiallite dal tempo.

Julian scrollò la testa. «No, voglio dire dipinti» disse, mimando il gesto di passare un pennello sulla tela.

Sulla faccia dell'uomo passò un'espressione perplessa. Si tirò i baffi, staccò da una parete una piccola, scadente stampa che raffigurava Cristo e la porse.

Julian la prese, finse di esaminarla, scosse di nuovo la testa e la restituì. «Altri?»

«No.»

Julian si alzò e si sforzò di sorridere con gratitudine. «Mi dispiace» disse. «È stato molto gentile.»

L'uomo alzò le spalle e aprì la porta.

Ormai Julian era ancora più riluttante a continuare. Sconsolato e indeciso, si fermò sulla strada, mentre il sole rovente gli batteva sul collo. Doveva stare attento a non scottarsi, pensò incoerentemente.

Forse avrebbe fatto bene a bere qualcosa. Il bar era qualche decina di metri più avanti, accanto alla Mercedes azzurra. Ma un drink non avrebbe migliorato molto le cose.

Una ragazza uscì dal bar e aprì la portiera della macchina. Julian la guardò. Era una sgualdrina come Sarah? Una ragazza abbastanza ricca per permettersi una Mercedes aveva il diritto d'essere una sgualdrina. La vide ributtarsi i capelli su una spalla mentre saliva a bordo. Era la figlia viziata d'un riccone, pensò Julian.

Un uomo uscì dal bar, girò intorno alla macchina e la ragazza gli disse qualcosa. La sua voce volava lontano, sulla strada.

Gli ingranaggi della mente di Julian entrarono in funzione.

Aveva pensato che sarebbe stata la ragazza a guidare; ma adesso, osservando più attentamente, si accorse che il volante era a destra.

Le parole che la ragazza aveva rivolto all'uomo sembravano in inglese.

La macchina aveva la targa britannica.

Con una specie di risata gutturale, la Mercedes si mise in moto. Julian girò sui tacchi e tornò in fretta verso la sua Fiat. L'altra macchina gli sfrecciò accanto mentre girava la chiave. Si affrettò a invertire la marcia.

Una ricca ragazza inglese a bordo d'una macchina britannica, lì a Poglio. Doveva essere la stessa che aveva spedito la cartolina.

Julian non poteva rischiare.

Rincorse la Mercedes, lasciando che il modesto motore della Fiat urlasse nelle marce basse. Il coupé azzurro svoltò a destra e s'inserì sulla strada che lasciava il paese e puntava verso ovest. Anche Julian svoltò.

Il guidatore della Mercedes viaggiava veloce e guidava con abilità la macchina potente. Ben presto Julian perse di vista gli stop lampeggianti nelle curve della strada e si sforzò di accelerare al massimo.

Quando passò oltre la Mercedes, poco mancò che gli sfuggisse. Frenò di colpo a un incrocio e tornò indietro.

L'altra macchina aveva lasciato la strada. Era ferma davanti a una casa che a prima vista sembrava una fattoria; ma poi Julian vide alla finestra la pubblicità della birra.

I due giovani erano scesi e adesso stavano entrando nel bar. Julian andò a fermare la Fiat dietro la loro macchina.

Dall'altra parte della Mercedes c'era una terza automobile. Era una Fiat anche quella, ma era grande, un modello di lusso verniciato di un orrendo verde metallizzato. Julian si chiese di chi poteva essere.

Scese e seguì gli altri nel bar.

4

Peter Usher posò il rasoio, immerse la salvietta nell'acqua calda e si tolse dal viso gli ultimi bioccoli della crema per barba. Poi si studiò allo specchio.

Prese un pettine e si scostò dalla faccia i lunghi capelli neri, in modo da appiattirli dietro gli orecchi. Li assestò con cura sulla nuca e nascose le punte sotto il colletto della camicia.

Senza la barba e i baffi il suo viso aveva un aspetto diverso. Il naso adunco e il mento sfuggente gli davano un'aria subdola, soprattutto con quei capelli così leccati.

Posò il pettine e prese la giacca. Così doveva andar bene. Comunque, era solo una precauzione.

Uscì dal bagno ed entrò nella cucina della casetta. Le dieci tele erano lì, avvolte nei giornali e legate con lo spago, ammonticchiate contro la parete. Gli girò intorno e varcò la porta.

Il furgoncino di Mitch era fermo sul vialetto in fondo al giardino. Peter aprì gli sportelli posteriori e li bloccò con due assi. Poi incominciò a caricare i quadri.

La mattina era ancora fresca, sebbene il sole fosse brillante e promettesse una giornata più calda. Alcune delle precauzioni che avevano deciso di prendere erano forse eccessive, pensò Peter mentre trascinava un pesante quadro lungo il vialetto del giardino. Comunque il piano era valido: avevano previsto e risolto decine di possibili contrattempi. Tutti e tre avevano modificato il loro aspetto. Certo, se si fosse arrivati a un confronto all'americana, i travestimenti non sarebbero bastati... ma era impossibile che si realizzasse un'eventualità del genere.

Finì di caricare le tele, chiuse le portiere del furgoncino, chiuse a chiave l'uscio di casa e se ne andò. Guidò con pazienza in mezzo al traffico, rassegnato al noioso tragitto fino al West End.

Raggiunse il campus di un college a Bloomsbury. Lui e Mitch avevano scelto quel posto un paio di giorni prima. Il college occupava un isolato largo duecento metri e lungo poco meno di ottocento, ed era formato in massima parte da case vittoriane ristrutturate. Aveva numerosi ingressi.

Peter parcheggiò sulla doppia linea gialla in un vialetto che conduceva a uno dei cancelli. Se il custode si fosse incuriosito, avrebbe pensato che andava a consegnare qualcosa al college: ma era fermo sulla pubblica via, e quindi nessuno del college avrebbe avuto il diritto di chiedergli cosa voleva. E gli osservatori occasionali avrebbero al massimo notato un giovane, senza dubbio uno studente, che scaricava qualcosa da un vecchio furgone.

Aprì le portiere, tirò fuori i quadri uno a uno e li appoggiò alla recinzione. Quando ebbe finito richiuse il furgoncino.

C'era una cabina telefonica accanto al cancello... era una delle ragioni per cui avevano scelto proprio quel posto. Peter entrò e compose il numero d'un servizio di tassì. Indicò il luogo dove si trovava, e gli venne assicurato che un tassì sarebbe arrivato entro cinque minuti.

Arrivò anche prima. Il tassista aiutò Peter a caricare le tele, che occuparono quasi tutto il sedile posteriore. Peter disse: «Hotel Hilton, per un certo signor Eric Clapton». Il falso nome era uno scherzo che aveva affascinato Mitch. Peter diede cinquanta *pence* di mancia al tassista perché l'aveva aiutato a caricare i quadri e gli accennò di andare.

Quando il tassì si fu allontanato, risalì sul furgone, invertì la marcia e tornò indietro. Adesso era assolutamente impossibile che i falsi venissero collegati in qualche modo alla casetta di Clapham.

Anne si sentiva in estasi mentre girava lo sguardo sulla suite dell'Hilton. S'era fatta pettinare da Sassoon e l'abito, il soprabito e le scarpe provenivano da una boutique carissima di Sloane Street. Nell'aria intorno a lei aleggiava un sentore di profumo francese.

Alzò le braccia e girò su se stessa, come una bimba che si pavoneggia nel vestito della festa. «Se anche finirò in galera per tutta la vita, ne sarà valsa la pena» disse.

«Approfittane finché puoi... domani quei vestiti dovranno essere bruciati» disse Mitch. Era seduto davanti a lei su una poltrona di velluto; le mani contratte tradivano la tensione che provava e smentivano la disinvoltura del sorriso. Indossava jeans scampanati, un maglione e un berretto di maglia, come un gay che giocasse a fare l'operaio, aveva detto. I capelli lunghi erano nascosti dal berretto, e portava un paio di occhiali con una modesta montatura di plastica e le lenti di vetro normale.

Bussarono con discrezione alla porta. Un cameriere entrò con il caffè e le paste alla panna sul vassoio.

«Il suo caffè, signora» disse, e posò il vassoio su un tavolino. «Fuori c'è un tassì con vari pacchi per lei, signor Clapton» soggiunse rivolgendosi a Mitch.

«Oh, Eric, saranno i quadri! Ti spiace andare a vedere?» Anne parlò in una perfetta imitazione dell'inglese delle classi aristocratiche, con un lieve accento francese, e Mitch dovette reprimere un moto di sorpresa.

Scese con l'ascensore al piano terreno, attraversò l'atrio e raggiunse il tassì. «Tenga pure il tassametro in funzione, capo» disse. «La signora se lo può permettere.»

Poi si rivolse al portiere e gli mise in mano due banconote da una sterlina. «Veda se può rimediarmi un carrello per bagagli o qualcosa del genere, e qualcuno che mi aiuti.»

Il portiere rientrò nell'albergo e un paio di minuti dopo uscì accompagnato da un fattorino in uniforme che spingeva un carrello. Mitch si chiese se una parte della mancia era finita nelle tasche del ragazzo.

Sistemarono sul carrello cinque quadri, e il fattorino li portò via. Mitch scaricò anche gli altri e pagò il tassista. Il fattorino tornò con il carrello vuoto e Mitch trasferì nella suite il resto delle tele. Diede una sterlina al fattorino... tanto valeva essere generoso, pensò.

Chiuse la porta e sedette per bere il caffè. La prima parte del piano era stata conclusa con successo; e con quella certezza venne la tensione che gli si insinuò nei muscoli e nei nervi. Ormai non era più possibile tornare indietro. Prese una sigaretta dal pacchetto che teneva nel taschino e l'accese, augurandosi che lo aiutasse a rilassarsi. Non servì... non serviva mai a nulla, ma Mitch sperava sempre che fosse utile. Assaggiò il caffè. Era troppo caldo; e lui non aveva la pazienza di attendere che si raffreddasse.

«Quello cos'è?» domandò ad Anne.

Lei alzò gli occhi dalla cartelletta su cui stava scrivendo. «Il nostro elenco. Titolo del quadro, nome dell'artista, galleria o mercante d'arte al quale è destinato, numero telefonico, nome del titolare o di chi ne fa le veci.» Anne scribacchiò qualcosa, poi sfogliò la rubrica telefonica che teneva sulle ginocchia.

«Molto efficiente.» Mitch ingurgitò il caffè e si scottò la gola. Incominciò a togliere i quadri dagli imballaggi, tenendo la sigaretta tra le labbra.

Ammucchiò in un angolo i giornali e lo spago. Avevano acquistato due custodie di cuoio, una grande e una piccola, per portare le opere alle gallerie. Mitch non aveva voluto comprarne dieci per timore che l'acquisto desse nell'occhio.

Quando Mitch ebbe finito, sedette insieme ad Anne al tavolo centrale su cui stavano i due telefoni che avevano chiesto. Anne gli mise davanti l'elenco, e incominciarono le chiamate.

Anne compose un numero e attese. Una voce di donna disse tutto d'un fiato: «Claypole e soci buongiorno».

«Buongiorno» disse Anne. «Mi passi il signor Claypole, per favore.» Non aveva più l'accento francese.

«Un momento, prego.» Un ronzio, un clic, poi una seconda voce femminile.

«Qui è l'ufficio del signor Claypole.»

«Buongiorno. Il signor Claypole, per favore» ripeté Anne.

«Temo che sia in riunione. Chi parla?»

«Chiamo per conto di Monsieur Renalle dell'Agence Arts di Nancy. Non sa se potrei parlare con il signor de Lincourt?»

«Attenda un attimo, ora vedo.»

Dopo una breve pausa, una voce maschile disse: «Qui de Lincourt».

«Buongiorno, signor de Lincourt. Le passo Monsieur Renalle dell'Agence Arts di Nancy.» Anne fece un cenno a Mitch che sollevò il ricevitore dell'altro telefono mentre lei posava il suo.

«Signor de Lincourt?» chiese Mitch.

«Buongiorno, Monsieur Renalle.»

«Buongiorno a lei. Mi scuso se non ho avuto la possibilità di avvertirla con una lettera, signor de Lincourt, ma la mia agenzia rappresenta gli eredi d'un collezionista e c'è una certa urgenza.»

«In che cosa posso esserle utile?» chiese educatamente il gallerista.

«Ho un quadro che dovrebbe interessarle. È un Van Gogh del primo periodo, *Il becchino*, settantacinque centimetri per novantasei. È piuttosto bello.»

«Magnifico. Quando potremmo vederlo?»

«In questo momento sono a Londra. Alloggio all'Hilton. Forse la mia assistente potrebbe venire da lei questo pomeriggio o domattina.»

«Questo pomeriggio è meglio. Diciamo alle due e mezzo?»

«*Bien...* molto bene. Ho il suo indirizzo.»

«Ha già in mente una cifra, Monsieur Renalle?»

«Secondo la nostra stima l'opera vale circa novantamila sterline.»

«Penso che potremo discuterne più tardi.»

«Certo. La mia assistente è autorizzata ad addivenire a un accordo.»

«Allora l'attendo dalle due e mezzo.»

«Arrivederci, signor de Lincourt.»

Mitch posò il ricevitore e sospirò.

Anne disse: «Dio, come sudi».

Lui si asciugò la fronte con la manica. «Non credevo che ce l'avrei fatta. Quell'accento della malora... avrei dovuto esercitarmi di più.»

«Sei stato meraviglioso. Chissà cosa sta pensando in questo momento il viscido signor de Lincourt!»

Mitch accese una sigaretta. «Io lo so. È felicissimo di aver a che fare con un agente di provincia che non si rende conto del vero valore d'un Van Gogh.»

«L'idea che tu rappresenti gli eredi d'un collezionista morto è geniale. Così è plausibile che un piccolo mercante di Nancy si occupi della vendita.»

«E de Lincourt avrà una fretta dannata di concludere prima che qualche concorrente venga a sapere che c'è in giro quel gonzo di francese e lo batta sul tempo.» Mitch sorrise con rabbiosa soddisfazione. «Bene, passiamo al secondo dell'elenco.»

Anne sollevò il ricevitore e compose un altro numero.

Il tassì si fermò davanti alle vetrate di Crowforth's in Piccadilly. Anne pagò il conducente mentre Mitch portava la tela all'interno della lussuosa galleria.

Un'ampia scalinata di pino scandinavo saliva dalla sala al piano terreno fino agli uffici. Anne si avviò per prima e bussò a una porta.

Ramsey Crowforth era uno scozzese segaligno e canuto sulla sessantina. Sbirciò Anne e Mitch al di sopra degli occhiali mentre stringeva loro la mano e invitò Anne ad accomodarsi. Mitch rimase in piedi con la cartella di cuoio stretta tra le braccia.

L'ufficio era rivestito di pannelli di pino come la scala, e la moquette era un *mélange* d'arancio e marrone. Crowforth si piazzò davanti alla scrivania e appoggiò tutto il peso su un piede, con un braccio abbandonato lungo il fianco; l'altra mano, posata sull'anca, spingeva un po' all'indietro la giacca e metteva in mostra le bretelle luccicanti. Era un'autorità per quanto riguardava gli espressionisti tedeschi ma, pensò Anne, aveva gusti abominevoli.

«Dunque lei è Mademoiselle Renalle» disse Crowforth con quel suo netto accento scozzese. «E il Monsieur Renalle con cui ho parlato stamattina è...»

«Mio padre» disse Anne, evitando di guardare Mitch.

«Appunto. Vediamo che cosa mi ha portato.»

Anne fece un cenno a Mitch che tolse il quadro dalla custodia e lo mise su una sedia. Crowforth incrociò le braccia e l'osservò.

«Un'opera del primo periodo» disse a voce bassa, come se parlasse con se stesso. «Prima che Munch cedesse completamente alle sue psicosi. Piuttosto tipico...» Distolse gli occhi dal dipinto. «Gradisce un bicchiere di sherry?» Anne fece cenno di sì. «E il suo... ehm... assistente?» Mitch rifiutò scrollando leggermente la testa.

Mentre Crowforth versava lo sherry, chiese: «Mi pare d'aver capito che rappresentate gli eredi di un collezionista. È esatto?».

«Sì.» Anne si rendeva conto che il gallerista stava cercando di prendere tempo per assorbire l'effetto che gli aveva fatto il quadro, prima di arrivare a una decisione. «Si chiamava Roger Dubois... era un industriale. Fabbricava macchine agricole. Aveva una collezione piccola, ma d'ottima scelta.»

«Questo è evidente.» Crowforth le porse un bicchiere, si appoggiò alla scrivania e studiò di nuovo il quadro. «Non è proprio il mio periodo, vede. La mia specializzazione sono gli espressionisti in generale, piuttosto che Munch in particolare, e le sue prime opere non erano espressioniste.» Indicò il dipinto con un movimento del bicchiere. «Mi piace, ma vorrei sentire un'altra opinione.»

Anne provò una fitta di tensione tra le scapole e si sforzò di dominare il rossore che le saliva dalla gola. «Se vuole posso lasciarglielo fino a domani» disse. «Comunque c'è un certificato di provenienza.» Aprì la cartella ed estrasse da un fascicoletto il documento che aveva falsificato, con la carta intestata e il timbro di Meunier. Lo porse a Crowforth.

«Oh!» esclamò il gallerista. Studiò il certificato. «Naturalmente, questo cambia tutto. Posso farle subito un'offerta.» Scrutò di nuovo il dipinto per un lungo istante. «Di che cifra si è parlato questa mattina?»

Anne cercò di reprimere l'euforia. «Trentamila.»

Crowforth sorrise e Anne si chiese se anche lui stentava a dominare la soddisfazione. «Credo che possiamo accogliere la richiesta.»

Con grande stupore di Anne, prese un libretto degli assegni da un cassetto e incominciò a scrivere. Così semplice! pensò lei. A voce alta disse: «Per cortesia, lo intesti a Hollows e Cox, i nostri rappresentanti qui a Londra». Quando vide che Crowforth sembrava un po' sorpreso, spiegò: «Sono commercialisti che provvederanno a trasferire la somma in Francia». Crowforth non trovò nulla da ridire. Staccò l'assegno e glielo porse.

«Si fermerà molto a Londra?» chiese educatamente.

«Solo pochi giorni.» Adesso Anne smaniava di andarsene; ma non voleva destare sospetti. Doveva continuare la conversazione per salvare le apparenze.

«Allora spero di vederla in occasione del suo prossimo viaggio.» Crowforth le tese la mano.

Scesero la scala. Mitch reggeva la custodia vuota. Anne bisbigliò, emozionata: «Non mi ha riconosciuta!».

«Non è affatto strano. Ti aveva vista solo da una certa distanza, e allora eri la moglie scialba di un pittore d'avanguardia. Adesso sei una vivace biondina francese.»

Presero un tassì davanti alla galleria e diedero l'indirizzo dell'Hilton. Anne si assestò sul sedile e guardò l'assegno di Crowforth.

«Oh, mio Dio, ce l'abbiamo fatta» mormorò. E cominciò a singhiozzare.

«Andiamocene il più presto possibile» disse Mitch.

Era la una del giorno dopo il loro arrivo all'Hilton. L'ultimo capolavoro falso era stato appena consegnato a una galleria di Chelsea e c'erano dieci assegni nella borsetta di lucertola di Anne.

Prepararono le valigie e tolsero di torno le penne, i fogli e gli oggetti personali che avevano lasciato in giro. Mitch andò in bagno a prendere un asciugamani e pulì i telefoni e le superfici lucide dei mobili.

«Il resto non ha importanza» disse. «Qualche impronta sparsa su una parete o su una finestra non sarà certo d'aiuto alla polizia.» Buttò l'asciugamani nel lavabo. «E poi ci saranno tante altre impronte dappertutto, quando scopriranno cos'è successo, che impiegherebbero una vita per identificarle.»

Cinque minuti più tardi se ne andarono. Mitch pagò il

conto con un assegno della banca presso la quale avevano aperto un conto a nome di Hollows e Cox.

Salirono su un tassì e si fecero portare da Harrods. Quando entrarono nel grande magazzino si separarono. Anne andò alla toelette delle signore, posò la valigia, l'aprì e tirò fuori un impermeabile e un cappello d'incerata, li indossò, chiuse la valigia e uscì.

Si guardò allo specchio. L'impermeabile copriva l'abito elegante e il cappello sgraziato nascondeva i capelli tinti di biondo. Era un sollievo pensare che ormai non importava più, anche se qualcuno la riconosceva.

Era una possibilità che l'aveva tenuta sulle spine per tutta la durata dell'operazione. Non conosceva nessuno dei personaggi di quel particolare strato del mondo artistico: Peter li conosceva, ovviamente, ma lei s'era sempre tenuta ai margini dei rapporti con loro. Era andata a qualche ricevimento delle gallerie, dove nessuno s'era mai degnato di rivolgerle la parola: tuttavia poteva darsi che la sua faccia, la sua faccia normale, risultasse vagamente familiare a qualcuno.

Sospirò e incominciò a struccarsi con un fazzolettino di carta. Per un giorno e mezzo era stata un'affascinante donna di mondo. Molti s'erano voltati a guardarla quando attraversava la strada. In sua presenza diversi uomini di mezza età s'erano precipitati a farle complimenti e ad aprirle le porte. Le donne avevano guardato i suoi abiti con invidia.

Adesso era ridiventata... come l'aveva chiamata Mitch? "La moglie scialba d'un pittore d'avanguardia."

Ma non sarebbe più stata la donna di prima, lo sentiva. In passato non s'era interessata molto alla moda, al trucco, ai profumi. S'era rassegnata all'idea d'essere anonima e s'era accontentata d'essere moglie e madre. Ma adesso aveva provato la bella vita; aveva interpretato il ruolo di una bella truffatrice... e qualcosa nel profondo della sua personalità aveva aderito a quella parte. Il fantasma era fuggito dalla prigione del suo cuore, e non vi sarebbe rientrato mai più.

Anne si chiese come avrebbe reagito Peter.

Buttò nel cestino il fazzolettino di carta macchiato di rossetto e uscì. Lasciò il grande magazzino passando da una porta secondaria. Il furgoncino attendeva davanti al marciapiedi. Peter era al volante, e Mitch s'era già seduto dietro.

Anne si assestò sul sedile e baciò il marito.

«Ciao, tesoro» disse lui. Accese il motore e si avviò.

Stava già incominciando a ricrescergli la barba: entro una settimana avrebbe raggiunto una lunghezza rispettabile. I capelli gli cadevano di nuovo intorno al viso e sulle spalle... come piaceva a lei.

Anne chiuse gli occhi e si rilassò sul sedile mentre procedevano lentamente verso casa. La fine della tensione era un sollievo fisico.

Peter si fermò davanti a un edificio piuttosto grande, a Balham. Andò alla porta e bussò. Venne ad aprire una donna con una bimba in braccio. Peter prese la bambina e ridiscese il vialetto, passando accanto al cartello con la scritta: "Asilo Diurno di Greenhill". Salì sul furgone e posò Vibeke sulle ginocchia di Anne.

Lei abbracciò forte forte la piccina. «Tesoro, hai sentito la mancanza della mamma questa notte?»

«Ciao» disse Vibeke.

Peter disse: «Ci siamo divertiti tanto, no, Vibeke? Porridge a merenda e torta per colazione».

Anne si sentì salire le lacrime agli occhi e le dominò a stento.

Quando arrivarono a casa, Peter prese dal frigo una bottiglia di champagne e annunciò che dovevano festeggiare. Andarono a sedere nello studio e bevvero il vino frizzante e risero rievocando i momenti più preoccupanti della loro impresa.

Mitch incominciò a compilare un modulo di versamento per la banca. Quando fece il totale disse: «Cinquecentoquarantunmila sterline, amici miei».

Quelle parole ebbero il potere di annullare l'euforia di Anne. Si sentì improvvisamente stanca. Si alzò. «Vado a tingermi di nuovo i capelli di color topo» disse. «A più tardi.»

Anche Mitch si alzò. «Vado in banca prima che chiuda. È meglio che incassiamo gli assegni al più presto.»

«E le custodie?» chiese Peter. «Dobbiamo sbarazzarcene?»

«Buttale nel canale questa notte» rispose Mitch. Scese al piano terreno, si tolse il maglione e indossò camicia, cravatta e giacca.

Peter lo seguì. «Prendi il furgoncino?»

«No. C'è sempre la possibilità che qualche ragazzino annoti le targhe delle macchine. Prenderò la metropolitana.» Aprì la porta. «Ci vediamo.»

Impiegò quaranta minuti per arrivare alla banca nel cuore della City. Il totale del modulo di versamento non indusse il cassiere a inarcare le sopracciglia. Controllò le cifre, timbrò e consegnò a Mitch il certificato del deposito.

«Vorrei parlare con il direttore, se è possibile» disse Mitch.

Il cassiere si allontanò, tornò dopo un paio di minuti, aprì lo sportello e accennò a Mitch di entrare. È molto facile superare le difese antiproiettile, pensò Mitch, e sorrise. Stava incominciando a pensare come un criminale. Una volta aveva passato tre ore a discutere con un gruppo di marxisti per sostenere che i delinquenti costituivano la parte più militante della classe operaia.

Il direttore della banca era basso, tondo e cordiale. Aveva sulla scrivania un foglio con un nome e una sfilza di numeri. «Sono lieto che si serva del nostro istituto, signor Hollows» disse. «Vedo che ha depositato più di mezzo milione.»

«Un affare andato a buon fine» disse Mitch. «Di questi tempi corrono somme cospicue nel mondo dell'arte.»

«Lei e il signor Cox insegnano all'università, se non ricordo male.»

«Appunto. Abbiamo deciso di sfruttare sul mercato la nostra competenza e, come può vedere, è andata piuttosto bene.»

«Splendido. Dunque, c'è qualcosa che possiamo fare per lei?»

«Sì. Non appena gli assegni saranno accreditati, vorrei che provvedesse all'acquisto di titoli al portatore.»

«Con piacere. Ci sarà una piccola percentuale da pagare, naturalmente.»

«Naturalmente. Investa cinquecentomila sterline nei titoli e lasci il resto sul conto per coprire la percentuale e gli assegni compilati da me e dal mio collega.»

Il direttore scrisse qualcosa sul foglio.

«Un'altra cosa» continuò Mitch. «Vorrei una cassetta di sicurezza.»

«Ma certo. Desidera visitare il nostro *caveau*?»

Cristo, ce la mettono tutta per facilitare il lavoro ai rapinatori, pensò Mitch. «No, non sarà necessario. Ma se fosse possibile vorrei ritirare subito la chiave.»

Il direttore prese il telefono e diede le disposizioni. Mitch guardava dalla finestra.

«Gliela porteranno subito» disse il direttore.

«Molto bene. Quando avrà provveduto all'acquisto dei titoli li metta nella cassetta di sicurezza.»

Un giovane impiegato entrò, porse una chiave al direttore, e il direttore la consegnò a Mitch. Mitch si alzò e tese la mano.

«La ringrazio.»

«È stato un piacere, signor Hollows.»

Una settimana dopo, Mitch telefonò alla banca ed ebbe la conferma che i titoli al portatore erano stati acquistati e depositati nella cassetta di sicurezza. Prese una valigia vuota e andò alla banca con la metropolitana.

Scese nel *caveau*, aprì la cassetta e trasferì i titoli nella valigia. E se ne andò.

Girò l'angolo, entrò in un'altra banca e prese un'altra cassetta di sicurezza. Pagò con un assegno suo e la intestò al proprio nome. Poi mise nella cassetta la valigia piena di titoli.

Prima di ritornare a casa si fermò in una cabina telefonica e chiamò la redazione d'un quotidiano.

5

Appena entrò nella Black Gallery, Samantha si guardò intorno meravigliata. Quasi non la riconosceva più. L'ultima volta che era stata lì il locale era pieno di operai, calcinacci, barattoli di vernice e rotoli di rivestimento di plastica. Adesso sembrava un appartamento elegante: una ricca moquette, decorazioni di buon gusto, interessanti mobili avveniristici e una selva di spot d'alluminio lucido che spuntavano dal soffitto basso.

Julian era seduto a una scrivania di vetro e cromo accanto alla porta. Quando la vide si alzò per stringerle la mano e rivolse a Tom un distratto cenno di saluto.

«Sono felice che tu abbia accettato di inaugurare la mia galleria» disse a Sammy. «Vuoi che ti faccia da guida?»

«Se posso sottrarre un po' di tempo al tuo lavoro» rispose gentilmente Samantha.

Lui agitò la mano con noncuranza. «Stavo solo guardando le fatture e tentavo di farle sparire con la telepatia. Vieni.»

Julian era cambiato, pensò Samantha. Lo osservò mentre mostrava loro i quadri e parlava degli autori. I capelli biondi, piuttosto lunghi, erano stati regolati e scalati e gli conferivano un aspetto più naturale e alla moda. Parlava con sicurezza autorevole e il suo passo era più deciso e aggressivo. Samantha si chiese se aveva risolto il problema della moglie oppure quello finanziario: forse tutti e due.

Le piacevano i gusti di Julian in fatto d'arte, concluse. Non c'era niente di clamorosamente originale in mostra, salvo la massa contorta della scultura di *fiberglas* nella nicchia: ma le opere erano moderne e ben eseguite. Non mi dispiacerebbe appenderle in casa mia, pensò: e si disse che quell'espressione rendeva bene il suo giudizio.

Julian li condusse a fare il giro piuttosto in fretta, come se temesse di annoiarli. Samantha gliene fu grata: era tutto molto simpatico, ma in quei giorni non desiderava far altro che drogarsi o dormire. Tom aveva incominciato a rifiutarle le compresse ogni tanto, soprattutto la mattina. E senza quelle il suo umore cambiava rapidamente.

Ritornarono alla porta e Samantha disse: «Devo chiederti un favore, Julian».

«Servo tuo, bella signora.»

«Puoi farci invitare a cena in casa di tuo suocero?»

Julian inarcò le sopracciglia. «Perché vuoi conoscere quel vecchio stronzo?»

«Mi affascina. Chi mai metterebbe insieme una collezione d'arte del valore d'un milione di sterline per poi venderla? E poi, mi sembra il mio tipo.» Samantha batté vezzosamente le ciglia.

Julian alzò le spalle. «Se proprio ci tieni, è facile. Ti accompagnerò io... Tanto, ci vado con Sarah un paio di volte la settimana. Così si risparmia la fatica di cucinare. Ti darò un colpo di telefono.»

«Grazie.»

«Dunque, la data dell'inaugurazione la sai. Ti sarei grato se potessi venire qui verso le sei e mezzo.»

«Julian, sarò lieta di aiutarti; ma sai bene che devo essere l'ultima ad arrivare.»

Julian rise. «Naturalmente. Avevo dimenticato che sei una diva. L'inaugurazione ufficiale sarà alle sette e mezzo o alle otto, quindi alle otto sarebbe meglio.»

«D'accordo. Ma prima mi combini la cena con Lord Cardwell, vero?»

«Naturalmente.»

Si strinsero di nuovo la mano. Quando i due uscirono, Julian tornò alla scrivania e riprese a esaminare le fatture.

Tom si muoveva un po' di sbieco tra la folla del mercatino. Non sembrava mai pieno a metà: se non era stipato di gente appariva vuoto. I mercatini per le strade dovevano essere affollati: piacevano così, ai clienti e ai venditori. E soprattutto ai borsaioli.

La familiarità del mercatino dava a Tom un senso di disagio. La bancarella delle ceramiche, i vestiti di seconda mano, il chiasso, gli accenti... rappresentavano tutti un mondo che era felice di aver abbandonato. Negli ambienti che frequentava adesso sfruttava la sua origine operaia, dato che era di gran moda; ma non ne conservava un ricordo affettuoso. Guardava le belle asiatiche in sari, le grasse matrone delle Indie Occidentali, i ragazzi greci dalla carnagione olivastra, i vecchi cockney con i berretti di panno, le giovani donne stanche con i bambini in braccio, i giovani disoccupati con i jeans rubati all'ultima moda; e gli dava fastidio ammettere, anche solo a se stesso, che quello era il suo posto.

Si fece largo tra la folla e si diresse verso il pub in fondo alla strada. Sentì la voce cantilenante di un uomo che vendeva gioielli allineati sopra una cassetta d'arance rovesciata. «È roba rubata, non ditelo a nessuno...» Tom sorrise tra sé. Una parte della merce in vendita al mercatino era effettivamente rubata; ma più spesso erano scarti di fabbrica, troppo scadenti per arrivare nei negozi. La gente credeva che se un oggetto era di provenienza furtiva doveva essere di buona qualità.

Uscì dalla calca ed entrò nel Cock. Era un pub tradizionale, semibuio, pieno di fumo e un po' maleodorante, con il pavimento di cemento e le panche allineate contro il muro. Andò al banco.

«Whisky and soda, per favore. C'è Bill Wright?»

«Il vecchio "Occhi" Wright?» chiese il barista. Poi indicò. «Eccolo là. È quello che beve la Guinness.»

«Allora un'altra per lui.»

Tom pagò e portò i bicchieri al tavolino in fondo al locale. «Buongiorno, sergente maggiore.»

Wright gli lanciò un'occhiataccia al di sopra del boccale da mezzo litro. «Lattante sfacciato. Spero che mi avrai portato da bere.»

«Sicuro.» Tom sedette, assaggiò il whisky e studiò il suo interlocutore. La testa era coperta da una corta stoppia bianca, a parte la piccola chiazza tonda di capelli bruni e imbrillantinati alla sommità del cranio. Gli occhi, cui doveva il soprannome, erano sporgenti, di una curiosa sfumatura d'arancione. Era abbronzatissimo perché ogni estate e ogni inverno passava sei settimane nei Caraibi. Il denaro per quelle vacanze lo guadagnava facendo lo scassinatore di casseforti... era la carriera che aveva intrapreso dopo aver lasciato l'esercito. Aveva fama d'essere molto abile. S'era fatto beccare una sola volta, per un incredibile colpo di sfortuna... un ladro era entrato nella casa che Wright stava derubando e aveva fatto scattare l'allarme.

Tom disse: «È una magnifica giornata per un'azione criminosa, signor Wright».

Wright vuotò il suo boccale e prese quello che gli aveva portato Tom. «Sai cosa dice la Bibbia? "Il Signore manda il sole e la pioggia sui giusti e sui malvagi." Per me, questo versetto è sempre stato una grande consolazione.» Riprese a bere. «Non puoi essere tanto malvagio, figliolo, se offri una birra a un povero vecchio.»

Tom si portò il bicchiere alle labbra. «Salute.» Tese la mano e toccò il bavero di Wright. «Mi piace, questo vestito. Savile Row?»

«Sì, figliolo. Sai cosa dice la Bibbia? "Evitate l'*apparenza* del male." È un ottimo consiglio. Quale piedipiatti penserebbe di arrestare un vecchio sergente maggiore con i capelli corti e un vestito di buona qualità?»

«E che sa citare a memoria la Bibbia, per giunta.»

«Ehmmm.» Wright tranguggiò due o tre sorsi abbondanti. «Bene, giovane Thomas, è ora che la smetta di girare intorno all'argomento. Cosa vuoi?»

Tom abbassò la voce. «Ho un lavoretto per te.»

Wright socchiuse le palpebre. «Che cosa?»

«Quadri. Opere d'arte. Roba rara.»

Wright scrollò la testa. «Non è il mio campo. Non saprei a chi venderli.»

Tom fece un gesto d'impazienza. «Non lo faccio in proprio. Avrò bisogno di finanziamenti, comunque.»

«Chi c'è in ballo, oltre a te?»

«Ecco, anche per questo sono venuto a cercarti. Cosa ne dici di Mandingo?»

Wright chinò la testa con aria pensierosa. «Ci sarà da dividere in troppi. Quanto vale il lavoretto?»

«Un milione, tutto sommato.»

Wright inarcò le sopracciglia color stoppa. «Allora ti dico una cosa... se ci sta Mandingo, ci sto anch'io.»

«Benone. Andiamo a trovarlo.»

Uscirono dal pub, attraversarono la strada dove una Citroën nuova color senape era parcheggiata sulle doppie righe gialle. Quando Wright aprì la portiera si avvicinò un vecchio barbuto dal soprabito macchiato. Wright gli diede qualche spicciolo e salì in macchina.

«Tiene d'occhio il vigile per me» spiegò Wright mentre partiva. «Sai che cosa dice la Bibbia? "Non mettere la museruola al bue che macina il grano." I vigili sono come i buoi.»

Tom si sforzò di capire il significato recondito della citazione mentre Wright si dirigeva verso sud-ovest; poi desistette quando si fermarono in una stradina nella zona dei teatri, nei pressi di Trafalgar Square.

«Abita qui?» chiese sorpreso Tom.

«Se la passa bene. "Ecco, guardate come trionfano i malvagi!" È logico che sia ricco, con le percentuali che si prende.» Wright scese dalla macchina.

Percorsero una viuzza stretta ed entrarono in un portoncino anonimo. Un ascensore li portò all'ultimo piano. L'uscio al quale bussò Wright aveva lo spioncino.

Venne ad aprire un giovane dalla pelle scura, con i calzoni da torero, una camicia coloratissima e una collana di perline.

«Buongiorno, Mandingo» disse Wright.

«Ehi, salve, avanti» disse Mandingo, agitando una mano affusolata che stringeva una sigaretta.

L'appartamento era lussuoso, tutto arredato in rosso e nero, e pieno di mobili costosi. Tutto intorno erano sparsi i giocattoli elettronici di un uomo che non sapeva più come spendere il suo denaro: una radio sferica a transistor, un grande televisore a colori e un altro portatile, un orologio digitale, un impianto stereo completo e un incredibile telefono finto antico. Una ragazza bionda con gli occhiali da sole oziava su una poltrona con un bicchiere in una mano e una sigaretta nell'altra. Rivolse un cenno di saluto a Wright e a Tom e fece cadere la cenere sulla moquette.

«Ehi, amico, cosa c'è di nuovo?» chiese Mandingo mentre si sedevano.

Wright disse: «Tom, qui, vorrebbe che tu finanziassi un colpetto».

Tom pensò che quei due uomini erano immensamente diversi, e si chiese perché mai lavoravano insieme.

Mandingo lo sbirciò. «Tom Copper, eh? Sicché ora ti sei dato alla pianificazione. L'ultima volta che ho sentito parlare di te, facevi esercizi di calligrafia.»

«È un colpo grosso, Mandingo.» Tom era irritato. Non gli piaceva sentirsi ricordare i tempi in cui falsificava assegni.

«Sentiamo.»

«Hai letto sui giornali della collezione d'arte di Lord Cardwell?»

Mandingo annuì.

«Io ho il modo di entrarci.»

Mandingo lo fissò. «Impressionante. Forse hai fatto molta strada, Tom. Dov'è la collezione?»

«Nella sua casa di Wimbledon.»

«Non so se potrò sistemare la polizia in quella zona.»

«Non è necessario» disse Tom. «I quadri sono soltanto trenta. Organizzerò tutto in anticipo. Bill lavorerà con me. Ci vorrà al massimo un quarto d'ora.»

Mandingo assunse un'aria pensierosa. «Un milioncino in quindici minuti. Mi piace.» Accarezzò con aria distratta la coscia della ragazza bionda. «Allora, le condizioni? Avrai bisogno che io ti procuri un furgone e un paio di uomini; e che immagazzini la merce e trovi un compratore.» Continuò a riflettere a voce alta. «Finirà negli Stati Uniti, e forse riuscirò a ricavarne mezzo milione, se la venderò a poco a poco. Ci vorrà magari un paio d'anni per smerciarla.» Alzò la testa. «Bene. Prenderò il cinquanta per cento. Il resto lo dividerete tra voi. E non dimenticare che passerà un po' di tempo prima che arrivi la grana.»

«Il cinquanta per cento?» esclamò Tom. Wright gli posò la mano sul braccio.

«Non discutere, Tom. Mandingo si assume il rischio più grosso... immagazzinare la merce.»

Mandingo continuò come se non avesse sentito. «E c'è un'altra cosa. Tu mi chiedi di rischiare i miei uomini, di anticipare i quattrini, trovare un magazzino sicuro... per il semplice fatto che sto parlando con te mi espongo a un'imputazione di complicità. Quindi non tentare il colpo se non sei assolutamente certo. Se combini un pasticcio... be', fila all'estero prima che ti metta le mani addosso. I fiaschi mi rovinano la reputazione.»

Wright si alzò e Tom fece altrettanto. Mandingo li accompagnò alla porta.

«Tom» chiese, «come farai a entrare in quella casa?»

«Avrò un invito a cena. Ci vediamo.»

Mandingo rise fragorosamente e chiuse la porta.

Parte quarta

LA VERNICE

"Credo di sapere che cosa si prova a essere Dio."

Pablo Picasso, pittore

1

Il giornalista era seduto alla scrivania in redazione e pensava alla sua carriera. Non aveva nulla di meglio da fare perché era mercoledì e tutte le decisioni prese il mercoledì dai suoi superiori venivano annullate il giovedì mattina; perciò aveva preso l'abitudine di non lavorare mai sul serio il mercoledì. E del resto, la sua carriera offriva abbondanti motivi di riflessione.

Finora era stata rapida e spettacolosa, ma sotto l'apparenza brillante non c'era molta sostanza. Era andato a lavorare in un modesto settimanale nella parte sud di Londra dopo aver lasciato Oxford; poi era passato a un'agenzia di stampa e finalmente era riuscito a ottenere quel posto in un giornale domenicale di buon livello. Aveva impiegato meno di cinque anni.

Questa era l'apparenza brillante; ma purtroppo era tutto inutile. Aveva sempre desiderato fare il critico d'arte. Perciò aveva resistito nel settimanale, per imparare il mestiere; e quindi nell'agenzia, per dimostrare la sua capacità. Ma adesso, dopo tre mesi al giornale domenicale, s'era reso conto d'essere all'ultimo posto d'una lunghissima lista d'attesa per la comoda poltrona del critico d'arte. E a quanto pareva non c'erano scorciatoie.

Il servizio di cui doveva occuparsi quella settimana riguardava l'inquinamento di un lago artificiale nel Galles. Quel giorno, se qualcuno gliel'avesse chiesto, avrebbe risposto che stava facendo le indagini preliminari. Entro domani la faccenda dell'inquinamento si sarebbe spostata su una spiaggia del Sussex o da qualche altra parte. Ma in ogni caso, non ci sarebbe stato il minimo legame con l'arte.

Davanti a lui c'era un grosso fascicolo pieno di ritagli stampa con la dicitura "Acqua – Inquinamento – Laghi Artificiali". Stava per aprirlo quando il telefono squillò e il giornalista dirottò la mano sul ricevitore.

«Cronaca.»

«Ha pronta una matita?»

Louis Broom aggrottò la fronte. In cinque anni di attività giornalistica aveva ricevuto innumerevoli telefonate di individui eccentrici; ma quell'approccio era nuovo. Aprì il cassetto e tirò fuori una biro e un blocco.

«Sì. Desidera?»

La risposta fu un'altra domanda: «Lei s'intende d'arte?».

Louis si accigliò ancora di più. L'uomo non parlava come uno dei soliti visionari. La voce era sicura, senza sfumature isteriche e senza smanie.

«Sì, un po'.»

«Bene. Ascolti attentamente, perché non intendo ripetere. La settimana scorsa, a Londra, è stata perpetrata la più grossa truffa nella storia dell'arte.»

Oh, poveri noi, pensò Louis. È uno dei soliti pazzi. «Il suo nome, signore?» chiese educatamente.

«Non m'interrompa e scriva. Claypole ha acquistato un Van Gogh intitolato *Il becchino* per ottantanovemila sterline. Crowforth ha comprato un Munch intitolato *Il seggiolone* per trentamila.»

Louis scrisse con fretta convulsa mentre la voce snocciolava un elenco di dieci quadri e di altrettante gallerie.

Finalmente la voce disse: «Il totale ammonta a più di mezzo milione di sterline. Non pretendo che mi creda. Ma provi a controllare. Poi, quando avrà pubblicato il pezzo, le diremo perché l'abbiamo fatto».

«Un momento...» Louis sentì il "clic" del telefono. L'apparecchio era muto. Posò il ricevitore.

Accese una sigaretta e si chiese che cosa poteva fare. Non poteva ignorare quella telefonata. Era sicuro al novantanove per cento che lo sconosciuto fosse pazzo; ma c'era l'altro un per cento, quello che permetteva di arrivare alle grandi esclusive.

Prese in considerazione la possibilità di parlarne con il redattore capo. Ma se l'avesse fatto, si sarebbe sentito dire che doveva passare la segnalazione al critico d'arte. Era molto meglio incominciare prima ad accertarsi, se non altro per poter vantare un diritto di precedenza sulla notizia.

Cercò sull'elenco il numero di Claypole e chiamò.

«Avete in vendita un quadro di Van Gogh, *Il becchino*?»

«Un attimo solo, signore, ora m'informo.»

Louis approfittò della pausa per accendere un'altra sigaretta.

«Pronto? Sì, l'abbiamo.»

«Potrebbe dirmi il prezzo?»

«Centoseimila ghinee.»

«Grazie.»

Louis chiamò Crowforth e scoprì che la galleria aveva

effettivamente *Il seggiolone* di Munch, in vendita per trentanovemila ghinee.

Incominciò a riflettere. La storia stava in piedi. Ma non era ancora venuto il momento di parlarne.

Sollevò il ricevitore e compose un altro numero.

Il professor Peder Schmidt entrò nel bar appoggiandosi alla gruccia. Era un uomo imponente ed energico, con i capelli biondi e la faccia rubizza. Nonostante una lieve balbuzie e un atroce accento tedesco, era stato uno dei più illustri insegnanti di storia dell'arte di Oxford. E Louis, sebbene avesse studiato letteratura inglese, aveva seguito tutte le lezioni di Schmidt perché ammirava la sua competenza e le sue teorie entusiaste e iconoclastiche. S'erano incontrati spesso fuori dall'aula per andare a bere insieme e discutere accanitamente dell'argomento che più li appassionava.

Schmidt conosceva la vita e le opere di Van Gogh più di chiunque altro al mondo.

Scorse Louis, lo salutò con un cenno e lo raggiunse.

«La molla della sua gruccia continua a cigolare» disse Louis.

«Allora può oliarla con un whisky» rispose Schmidt. «Come va, Louis? Perché tanta segretezza?»

Louis ordinò uno scotch doppio per il professore. «Sono stato fortunato a pescarla a Londra.»

«Oh, sì. La settimana prossima partirò per Berlino. Sempre di fretta.»

«È stato gentile a venire.»

«Certo. Dunque, di cosa si tratta?»

«Voglio che lei dia un'occhiata a un quadro.»

Schmidt tracannò lo scotch. «Spero che sia buono.»

«È appunto quel che voglio sapere da lei. Andiamo.»

Uscirono dal bar e si avviarono verso la galleria Claypole. La gente in giro per acquisti nel West End si voltava a guardarli: il giovane dall'abito marrone gessato con le scarpe a tacco alto, e l'invalido che gli camminava al fianco a lunghi passi con una camicia azzurra e una giacca di tela jeans scolorita. Percorsero Piccadilly e svoltarono a sud, verso St James's. Tra un lussuoso cappellaio e un ristorante francese c'erano le raffinate vetrine di Claypole's.

Entrarono e percorsero la piccola galleria in tutta la lunghezza. In fondo, sotto un riflettore, trovarono *Il becchino*.

Agli occhi di Louis era inequivocabilmente un Van Gogh. Gli arti massicci e la faccia stanca del contadino, la piatta campagna olandese e il cielo tetro erano inconfondibili. E c'era la firma.

«Professor Schmidt! Che piacere inaspettato.»

Louis si voltò e vide un uomo esile ed elegante, con la barbetta alla Van Dyke un po' brizzolata e l'abito nero. «Salve, Claypole» disse Schmidt.

Claypole si fermò accanto a loro e guardò il quadro. «È una vera scoperta, sapete» disse. «Un'opera meravigliosa, ma nuova per il mercato.»

«Mi dica, Claypole, dove l'ha trovata?» chiese Schmidt.

«Non so se dovrei dirglielo. È un segreto professionale, capisce.»

«Se lei mi dice come l'ha avuta, io le dirò quanto vale.»

«Oh, sta bene. È stato un vero colpo di fortuna. La settimana scorsa c'era a Londra un certo Renalle, di una piccola agenzia di Nancy. Alloggiava all'Hilton ed era venuto per vendere una collezione piuttosto grossa per conto degli eredi d'un industriale. Comunque, sono stato il primo al quale ha offerto questo quadro.»

«E lei quanto chiede?»

«Centoseimila ghinee. Un prezzo equo, mi pare.»

Schmidt borbottò e si appoggiò pesantemente alla gruccia senza staccare gli occhi dal dipinto.

«Secondo lei quanto può valere?» chiese Claypole.

Schmidt disse: «Un centinaio di sterline. È il più bel falso che abbia visto in vita mia».

Il redattore capo di Louis era un uomo basso dal naso adunco e dall'accento settentrionale. Si tirò la punta del naso e disse: «Così sappiamo che tutti i quadri sono stati acquistati dalle persone indicate dall'informatore anonimo. Sembra probabile che i prezzi citati da lui siano esatti. E sappiamo anche qualcosa che non ci ha detto: tutti i dipinti sono stati venduti da qualcuno che si faceva chiamare Renalle e alloggiava all'Hilton. Infine, sappiamo che almeno una delle opere è falsa».

Louis annuì. «Inoltre l'informatore ha detto più o meno così: "Vi faremo sapere perché l'abbiamo fatto". Quindi sembra proprio che fosse lo stesso Renalle.»

Il redattore capo aggrottò la fronte. «Secondo me è una specie di trovata pubblicitaria» dichiarò.

«Questo non cambia il fatto che qualcuno ha combinato una truffa colossale alle spalle dei mercanti d'arte londinesi.»

Il redattore capo alzò gli occhi verso Louis. «Non preoccuparti, non ho intenzione di insabbiare la faccenda.» Rifletté per un momento. «Bene, ecco quel che faremo.» Si rivolse a Eddie Mackintosh, il critico d'arte titolare del giornale. «Mettiti in contatto con Disley della National Gallery, o qualcuno della stessa levatura. Dev'essere uno che possiamo definire tra i massimi esperti d'arte del paese. Convincilo a fare il giro di quelle gallerie insieme a te per autenticare i quadri o accertarne la falsità. Offrigli il regolare onorario per la consulenza, se lo ritieni opportuno.

«Ma in ogni caso, non dire ai galleristi che i loro quadri sono falsi. Se vengono a saperlo chiameranno la polizia. E appena ne sarà informata Scotland Yard, qualche cronista di nera d'un quotidiano si butterà a pesce e ci rovinerà la sorpresa.

«Louis, tu invece continua le ricerche da un'altra parte. Qualunque cosa scopra Eddie, hai in mano una notizia sensazionale... un falso di quel calibro è più che sufficiente. Cerca di rintracciare Renalle. Scopri che stanza aveva all'albergo, in quanti erano e così via. D'accordo?»

Il tono era di commiato, e i due giornalisti uscirono dall'ufficio.

Louis diede cinque sterline all'impiegato perché gli permettesse di dare un'occhiata al registro dell'albergo. Non c'era stato nessun Renalle in nessun giorno della settimana prima. Ricontrollò. L'unica stranezza era un certo signor Eric Clapton. Indicò il nome all'impiegato.

«Sì, lo ricordo. Con lui c'era una bella ragazza francese, mi pare che si chiamasse Renault. Lo rammento perché è venuto un tassì a portargli un carico di quadri. Ed era anche generoso con le mance.»

Louis prese nota del numero della stanza. «Quando gli ospiti pagano con un assegno, segnate il nome della banca?»

«Sì.»

Louis diede all'impiegato altri due biglietti da cinque sterline. «Può darmi l'indirizzo della banca di Clapton?»

«Così sul momento, no. Può tornare fra mezz'ora?»

«Le telefonerò dalla redazione.»

Louis tornò in ufficio a piedi per far passare il tempo. Quando telefonò all'albergo, l'impiegato aveva pronta la risposta.

«L'assegno era del conto a nome di Hollows e Cox, e la firma era di Hollows» soggiunse.

Louis prese un tassì e andò alla banca.

«Mi dispiace» disse il direttore, «ma non riveliamo mai gli indirizzi dei clienti.»

«Questi clienti sono coinvolti in una truffa colossale» ribatté Louis. «Se non dà gli indirizzi a me, molto presto dovrà darli alla polizia.»

«Se e quando la polizia li chiederà, potrà averli... purché abbia l'autorità per esigerli.»

«E se lei telefonasse ai clienti? A uno dei due? Per chiedergli il permesso?»

«E perché dovrei farlo?»

«Perché non dimenticherei la sua collaborazione quando scriverò l'articolo. Così si potrebbe evitare che la banca apparisse sotto cattiva luce.»

Il direttore assunse un'aria pensierosa. Dopo un attimo prese il telefono e chiamò. Louis s'impresse il numero nella memoria.

«Non risponde nessuno» disse il direttore.

Louis se ne andò. Entrò nella prima cabina telefonica e chiese alla centralinista d'essere messo in comunicazione con il servizio abbonati per la località corrispondente al numero chiamato dal direttore. Il servizio abbonati gli diede l'indirizzo. Louis prese un altro tassì.

Sul vialetto era ferma una station wagon carica di bagagli. Il signor Hollows era appena tornato con la famiglia da una vacanza in Scozia e stava sganciando le cinghie del portapacchi.

Il signor Hollows si allarmò quando seppe che qualcuno aveva aperto un conto in banca a nome suo. No, non immaginava che cosa poteva significare quella storia. Sì, poteva prestare a Louis una sua foto, anzi aveva un'istantanea che lo ritraeva in compagnia del suo amico e collega, il signor Cox.

Louis portò le foto alla banca.

«Nessuno di questi due signori è l'uomo che ha aperto il conto» disse il direttore.

Adesso era preoccupato. Telefonò al signor Hollows e si preoccupò ancora di più. Arrivò al punto di confidare a Louis che in quel conto c'era stato un movimento ingentissimo di denaro. La somma era stata convertita in titoli al portatore, e i titoli erano stati depositati in una cassetta di sicurezza.

Condusse Louis nel *caveau* e aprì la cassetta di sicurezza intestata al sedicente signor Hollows. Era vuota.

Louis e il direttore si guardarono negli occhi, e il giornalista disse: «La pista finisce qui».

«Senti questa: "Il massimo esperto d'arte del nostro paese, Jonathan Rand, ritiene che i quadri siano opera del più abile falsario del secolo". Si riferisce a te, Mitch, oppure a me?»

Peter e Mitch erano nello studio della casa di Clapham e stavano bevendo il secondo caffè dopo la colazione.

Avevano due copie del giornale domenicale e leggevano ciò che scriveva di loro, con un miscuglio di sgomento e di allegria.

Mitch disse: «Quei giornalisti hanno lavorato maledettamente in fretta, sai. Hanno scoperto tutto sul conto in banca e la cassetta di sicurezza, e hanno intervistato il povero Hollows».

«Sì, ma senti un po': "Il falsario ha coperto con tanta abilità le sue tracce che Scotland Yard ritiene abbia avuto la collaborazione di un esperto esponente della malavita". Dunque, immagino, il falsario geniale sono io e tu sei l'esponente della malavita.»

Mitch posò il giornale e soffiò sul caffè per raffreddarlo. «Questo dimostra com'è facile riuscirci... ed era appunto ciò che volevamo provare.»

«Ecco qualcosa d'interessante: "Il tocco magistrale del falsario è consistito nel fornire ogni quadro d'un certificato di provenienza... che nel mondo dell'arte equivale a un *pedigree* e di norma garantisce l'autenticità di un'opera. I certificati erano redatti sulla carta intestata di Meunier, una nota agenzia artistica parigina, e portavano il suo timbro. Carta e timbro erano senza dubbio rubati". Mi piace... il tocco magistrale.» Peter piegò il giornale e lo lanciò nell'angolo opposto dello studio.

Mitch prese la chitarra di Anne e incominciò a suonare un *blues* molto semplice. Peter commentò: «Spero che Arnaz si diverta... è lui che ha pagato lo scherzetto».

«Non credo fosse convinto che ce l'avremmo fatta.»

«Non ne ero convinto neppure io» rise Peter.

Mitch posò la chitarra, bruscamente, facendo rimbombare la cassa armonica. «Non abbiamo ancora fatto la cosa più importante. Andiamo.»

Peter trangugiò il resto del caffè e si alzò. I due amici indossarono le giacche, gridarono un saluto ad Anne e uscirono.

Arrivarono in fondo alla strada e s'infilarono nella cabina telefonica.

«C'è una cosa che mi preoccupa» disse Peter mentre staccava il ricevitore.

«L'accenno a Scotland Yard?»

«Appunto.»

«Preoccupa anche me» disse Mitch. «Può darsi che cerchino di rintracciare la nostra telefonata al giornale. E così scopriranno che l'abbiamo fatta da questa cabina, circonderanno la zona e interrogheranno tutti fino a quando troveranno qualcuno che ha a che fare con l'arte.»

«E allora cosa facciamo?»

«Telefoniamo a un altro giornale. Tanto, ormai tutti conoscono la storia.»

«D'accordo.» Peter prese l'elenco e cercò l'intestazione "Quotidiani".

«Quale?» domandò.

Mitch chiuse gli occhi e puntò l'indice sulla pagina. Peter fece il numero e chiese di parlare con un cronista.

Quando glielo passarono disse: «Sa stenografare?».

«Certamente» rispose la voce in tono un po' offeso.

«Allora scriva. Io sono Renalle, il famoso falsario, e sto per dirle perché l'ho fatto. Volevo dimostrare che il mondo londinese dell'arte, con il suo interesse esclusivo per i capolavori e i pittori defunti, è fasullo. I dieci galleristi più famosi non sanno riconoscere un falso quando se lo trovano sotto il naso. Sono motivati dall'avidità e dallo snobismo anziché dall'amore per l'arte. Per colpa loro, il denaro speso per l'arte viene sottratto agli artisti che ne avrebbero più bisogno.»

«Parli un po' più adagio» protestò il cronista.

Peter non gli badò: «Ora mi offro di rendere ai galleristi il loro denaro, meno le mie spese che ammontano a circa mille sterline, a condizione che devolvano un decimo della somma, circa cinquantamila sterline, per fornire un edificio nel centro di Londra dove gli artisti giovani e sconosciuti possano affittare studi a prezzi modesti. I galleristi dovranno riunirsi e creare un fondo fiduciario che avrà l'incarico di acquistare e gestire l'edificio. L'altra condizione è che le indagini della polizia vengano abbandonate. Attendo la risposta alla mia offerta sulle colonne del suo giornale».

Il cronista chiese precipitosamente: «Anche lei è un giovane pittore?».

Peter riattaccò.

Mitch disse: «Hai dimenticato l'accento francese».

«Oh, al diavolo» imprecò Peter. Uscirono dalla cabina.

Mentre tornavano verso la casa, Mitch disse: «Be', diavolo, non credo che faccia una grande differenza. Adesso sanno che non è stato un francese e questo limita il campo delle ricerche all'intero Regno Unito. E con ciò?».

Peter si morse le labbra. «Dimostra che mi sto lasciando andare, ecco. Sarà meglio che non diciamo quattro prima d'averlo nella cassa.»

«Nel sacco.»

«Al diavolo i proverbi.»

Anne era nel giardinetto e giocava al sole con Vibeke, quando i due tornarono.

«Che bel sole... usciamo» disse.

Peter guardò Mitch. «Perché no?»

Dal marciapiedi giunse una voce profonda dall'accento americano. «Come stanno i nostri falsari?»

Peter impallidì, si voltò di scatto e si rilassò quando scorse la figura robusta e i denti bianchi di Arnaz. L'americano aveva un pacco sotto il braccio.

«Mi hai fatto paura» disse Peter.

Arnaz continuò a sorridere, aprì il cancelletto di legno traballante ed entrò. Peter disse: «Andiamo di sopra».

I tre uomini salirono nello studio. Sedettero e Arnaz sventolò una copia del giornale. «Congratulazioni» disse. «Neppure io avrei saputo fare di meglio. Stamattina a letto ho riso da sbellicarmi.»

Mitch finse di scrutare il ventre di Arnaz. «E come hai fatto a incollare di nuovo l'ombelico?»

Peter rise. «Mitch, non ricominciare.»

Arnaz continuò. «È stata un'operazione geniale. E i falsi erano ottimi. La settimana scorsa ho visto il Van Gogh da Claypole. Quasi quasi lo compravo.»

«Non è pericoloso che tu sia venuto qui?» chiese pensosamente Peter.

«Non credo. E poi è necessario, se voglio ricavare un profitto da questa storia.»

Il tono di Mitch divenne ostile. «Credevo che avessi accettato per divertimento.»

«Anche.» Arnaz continuò a sorridere. «Ma volevo vedere soprattutto la vostra abilità.»

«Dove diavolo vuoi arrivare, Arnaz?» Peter incominciava a sentirsi a disagio.

«Come ho detto, voglio ricavare un profitto dal mio investimento. Quindi vi chiedo di fare un altro falso, uno ciascuno. Per me.»

«Niente da fare, Arnaz» disse Peter. «L'abbiamo fatto

per dimostrare qualcosa, non per guadagno. Ormai è quasi concluso. Basta con i falsi.»

Mitch disse a voce bassa: «Non credo che possiamo rifiutare».

Arnaz annuì e allargò le mani in un gesto che era quasi di supplica. «Ascoltatemi. Non c'è nessun rischio. Nessuno saprà mai di questi altri due falsi. I compratori non riveleranno mai d'essere stati truffati, perché acquistandoli s'impegoleranno in una situazione ai margini della legge. E nessuno, tranne me, saprà mai che i falsi sono opera vostra.»

«Non ci sto» disse Peter.

Arnaz disse: «Mitch ha già capito che dovete starci, no, Mitch?».

«Sì, mascalzone.»

«E allora spiegalo a Pete.»

«Arnaz ci ha in pugno, Peter» disse Mitch. «È l'unica persona al mondo che può denunciarci alla polizia. Gli basterebbe una telefonata anonima. E noi non abbiamo ancora portato a conclusione l'accordo con i galleristi.»

«E con questo? Se ci denuncia, perché non possiamo denunciare lui?»

«Perché» rispose Mitch, «non abbiamo prove a suo carico. Non ha partecipato all'operazione... nessuno l'ha visto, mentre io mi sono fatto vedere da decine di individui. Possono imporci confronti all'americana, e chiederci di spiegare i nostri movimenti per quel giorno famoso, e Cristo sa che altro ancora. Lui non ha fatto altro che darci il denaro... in contanti, ricordi? Potrà negare tutto.»

Peter si rivolse ad Arnaz. «Quando vuoi i falsi?»

«Ecco, bravo. Voglio che li facciate subito, mentre aspetto.»

Anne si affacciò sulla soglia con la bimba in braccio. «Ehi, andiamo al giardino pubblico o no?»

«Scusami, tesoro» rispose Peter. «Adesso non è possibile. Abbiamo altro da fare.»

Il viso di Anne era imperscrutabile. Uscì.

«Che genere di quadri vuoi, Arnaz?» chiese Mitch.

Arnaz riprese il pacco che aveva portato. «Due copie di questo» disse porgendolo.

Mitch tolse l'incarto e tirò fuori un quadro incorniciato. Lo fissò, sconcertato. Poi lesse la firma e zufolò.

«Dio buono» mormorò stupito. «Dove l'hai trovato?»

2

Samantha giocherellò con la tazzina del caffè e guardò Lord Cardwell che mangiava delicatamente un cracker spalmato di Blue Stilton. Nonostante tutto, quell'uomo le era simpatico: alto, con i capelli bianchi, il naso lungo e le grinze minute agli angoli degli occhi. Durante la cena le aveva fatto domande intelligenti sul suo lavoro d'attrice ed era parso sinceramente interessato, a volte scandalizzato, degli aneddoti che gli raccontava.

Tom era seduto di fronte a lei, e Julian in fondo alla tavola. Erano soli, a parte il maggiordomo, e Samantha s'era chiesta fuggevolmente dov'era Sarah. Julian non l'aveva neppure nominata. Stava parlando con entusiasmo d'un quadro che aveva acquistato. Gli brillavano gli occhi e agitava le mani. Forse quel dipinto era la causa della sua trasformazione.

«E Modigliani lo regalò!» disse Julian. «Lo regalò a un rabbino di Livorno che si ritirò a vivere in un paesino italiano e lo portò con sé. È rimasto là per tutti questi anni... appeso alla parete della casupola di un contadino!»

«Sei sicuro che sia autentico?» chiese Samantha.

«Sicurissimo. Ha i tocchi caratteristici, è firmato e ne

conosciamo la storia. Non si potrebbe chiedere di più. E poi, molto presto lo vedrà uno dei massimi esperti.»

«Speriamo che sia autentico» disse Lord Cardwell. Si mise in bocca un'ultima briciola di formaggio e si assestò sulla sedia. Samantha seguì con gli occhi il maggiordomo che si accostava per portar via il piatto. «Ci è costato parecchio.»

«Anche a lei?» domandò Samantha, incuriosita.

«Mio suocero ha finanziato l'operazione» si affrettò a precisare Julian.

«È strano... anche una mia amica parlava d'un Modigliani perduto» disse Samantha. Aggrottò la fronte per lo sforzo di ricordare... da un po' di tempo la memoria la tradiva. «Mi pare che mi abbia scritto qualcosa. Si chiama Dee Sleign.»

«Deve trattarsi di un altro quadro» disse Julian.

Lord Cardwell assaggiò il caffè. «Sa, Julian non avrebbe mai realizzato questo colpo sensazionale senza i miei consigli. A te non dispiace che lo racconti, vero, Julian?»

Samantha intuì che gli sarebbe dispiaciuto, a giudicare dalla smorfia; ma Cardwell continuò.

«Era venuto da me a chiedere una somma per acquistare un certo numero di quadri. Gli ho risposto che sono un uomo d'affari e che se voleva un finanziamento da me doveva dimostrarmi che avrei potuto ricavarne un utile. Gli ho suggerito di andare in cerca di una grande scoperta... allora avrei rischiato. Ed è appunto ciò che ha fatto.»

Il sorriso che Julian rivolse a Samantha sottintendeva: "Lascia straparlare quel vecchio imbecille".

Tom chiese: «Come mai si è dedicato agli affari?».

Cardwell sorrise: «Tutto risale ai tempi della mia gioventù ruggente. Prima di compiere ventun anni avevo già fatto tutto: avevo girato il mondo, mi ero fatto buttar fuori dall'università, avevo corso con cavalli e aerei... per non parlare dei passatempi tradizionali, vino, donne e bagordi».

S'interruppe per un momento, fissò la tazzina del caffè e proseguì: «A ventun anni entrai in possesso del denaro che mi spettava e mi sposai. Poi ci fu in arrivo un figlio... non era Sarah, naturalmente, lei è nata molto più tardi. E all'improvviso mi accorsi che spassarmela era un'attività piuttosto limitata. Non volevo gestire le tenute agricole e neppure lavorare in una delle aziende di mio padre. Così portai il mio denaro nella City di Londra; e scoprii che nessuno ne sapeva molto più di me, in fatto di finanza. Era più o meno l'epoca in cui la Borsa stava andando a rotoli. Erano tutti terrorizzati. Acquistai diverse società che, a quanto potevo vedere, non avevano motivo di preoccuparsi di quel che succedeva in Borsa. E avevo ragione. Quando il mondo si rimise in piedi, io ero quattro volte più ricco di quando avevo incominciato. Ma poi il progresso è stato più lento».

Samantha annuì. Era più o meno ciò che aveva immaginato. «È contento d'essersi messo in affari?» chiese.

«Non ne sono sicuro.» C'era una nota di stanchezza nella voce del vecchio lord. «Vi fu un momento, sa, in cui volevo cambiare il mondo, un po' come fate adesso voi giovani. Pensavo di usare la mia ricchezza per aiutare qualcuno. Ma poi, quando ci si deve impegnare per sopravvivere, tenere in piedi le aziende, accontentare gli azionisti... si finisce per dimenticare i grandi progetti.»

Vi fu un attimo di silenzio. «Comunque il mondo non può essere tanto gramo, quando ci sono sigari come questi.» Lord Cardwell sorrise stancamente.

«E quadri come i suoi» osservò Samantha.

Julian disse: «Mostri la galleria a Sammy e a Tom?».

«Naturalmente.» Il vecchio si alzò. «Tanto vale che gli faccia vedere i quadri finché sono ancora qui.»

Il maggiordomo scostò la sedia di Samantha quando lei si alzò da tavola per seguire Cardwell nell'atrio e su per la grande scalinata fino al primo piano.

In cima alla scala, Cardwell sollevò un grande vaso cinese e prese una chiave che vi stava sotto. Samantha lanciò uno sguardo di sottecchi a Tom e si accorse che stava prendendo mentalmente nota di tutto. Sembrava che la sua attenzione fosse attratta da qualcosa alla base dello stipite.

Cardwell aprì la porta massiccia e li fece entrare. La collezione dei quadri era in una sala d'angolo che in origine era stata probabilmente un salotto. Le finestre erano rinforzate da una rete metallica inserita nei vetri.

Cardwell l'accompagnò da un quadro all'altro e le raccontò in tono d'evidente soddisfazione come li aveva acquistati.

«È sempre stato appassionato di pittura?» chiese Samantha.

Il vecchio lord annuì. «È una delle cose che s'imparano con un'educazione classica... tuttavia ne omette molte altre. Come il cinema, per esempio.»

Sostarono davanti a un Modigliani. Raffigurava una donna nuda inginocchiata... una donna vera, pensò Samantha, con la faccia scialba, i capelli spettinati, le ossa sporgenti e la carnagione imperfetta. Le piacque al primo colpo d'occhio.

Cardwell era un uomo così simpatico e garbato che incominciava a provare rimorso all'idea di derubarlo. Ma stava per perdere comunque i quadri, e l'assicurazione l'avrebbe risarcito. Inoltre, con ogni probabilità anche il malvagio sceriffo di Nottingham era stato un uomo affascinante.

A volte si domandava se lei e Tom erano un po' matti... se la pazzia era un'infezione che lui le aveva trasmesso... come una malattia venerea. Represse un sorriso. Dio, erano anni che non si sentiva così viva.

Mentre uscivano dalla galleria, Samantha disse: «Mi sorprende che stia per vendere i suoi quadri, ai quali sembra così affezionato».

Cardwell sorrise malinconicamente. «Sì, ma bisogna fare di necessità virtù.»

«Come la capisco» rispose Samantha.

3

«È una stramaledetta vergogna, Willow» disse Charles Lampeth. Riteneva che quell'espressione energica fosse giustificata. Il lunedì mattina era rientrato in ufficio dopo un fine settimana trascorso in una casa di campagna senza telefono e senza preoccupazioni, e aveva trovato la sua galleria travolta dalla tempesta d'uno scandalo.

Willow stava impettito davanti alla scrivania. Tolse una busta dalla tasca interna della giacca e la posò. «Le mie dimissioni.»

«Non è assolutamente il caso» disse Lampeth. «Tutte le più importanti gallerie di Londra sono cadute nella trappola di quella gente. Signore Iddio, io stesso ho visto il quadro e ci sono cascato.»

«Forse sarebbe meglio per la galleria se me ne andassi» insistette Willow.

«Sciocchezze. Ora hai fatto il bel gesto e io ho rifiutato di accettare le tue dimissioni; quindi non pensiamoci più. Siediti e spiegami esattamente cos'è successo.»

«Lì c'è tutto» rispose Willow, indicando i giornali sulla scrivania di Lampeth. «La storia dei falsi è nel numero di ieri, e in quello di oggi ci sono le condizioni.» Sedette e accese un sigaro sottile.

«Raccontamelo comunque.»

«È successo mentre tu eri in Cornovaglia. Ho ricevuto una telefonata da questo Renalle. Mi ha detto che alloggiava all'Hilton e aveva un Pissarro che poteva interessarci. Sapevo che non avevamo nessun Pissarro, naturalmente, e quindi ho accettato di vederlo. È venuto a portare il quadro nel pomeriggio.»

Lampeth l'interruppe. «Mi sembrava che fosse stata una donna, a consegnare i quadri alle gallerie.»

«Nel nostro caso no. È venuto lui personalmente.»

«Chissà se c'è una ragione» mormorò Lampeth. «Be', continua.»

«Ecco, il quadro sembrava autentico, un vero Pissarro. Era firmato e c'era un certificato di Meunier. Ho pensato che valesse ottantacinquemila sterline. L'uomo ne ha chieste sessantanovemila, e quindi mi sono buttato sull'occasione. Ha detto che aveva un'agenzia a Nancy; perciò sembrava probabile che sottovalutasse il dipinto. Ho pensato che non fosse abituato a trattare opere di quel livello. Poi tu sei tornato dopo un paio di giorni, hai approvato l'acquisto, e l'abbiamo esposto.»

«Grazie a Dio non l'abbiamo venduto» disse fervorosamente Lampeth. «Ora l'avrai fatto sparire, mi auguro.»

«L'ho tolto dalla galleria questa mattina. È stata la prima cosa che ho fatto.»

«Quali sono gli ultimi sviluppi?»

«Vuoi dire il riscatto? Be', recupereremmo quasi tutto quello che abbiamo speso. È umiliante, certo: ma è ancora nulla in confronto all'imbarazzo d'essere stati raggirati. E la loro idea, gli studi per artisti a fitto modesto, in realtà è encomiabile.»

«Quindi cosa suggerisci?»

«Penso che per prima cosa dovrebbe esserci una riunione di tutti i galleristi.»

«Benissimo.»

«Potremmo tenerla qui?»

«E perché no? L'importante è chiudere la faccenda il più presto possibile. Questa pubblicità è rovinosa.»

«E andrà anche peggio, almeno per un po'. Questa mattina verrà qui la polizia.»

«Allora sarà meglio darci da fare.» Lampeth allungò la mano, sollevò il ricevitore. «Mi porti il caffè, Mavis, per favore.» Si sbottonò la giacca e mise un sigaro tra i denti. «Siamo pronti per la mostra di Modigliani?»

«Sì, e credo che andrà molto bene.»

«Che cosa abbiamo?»

«I tre quadri di Lord Cardwell, naturalmente.»

«Sì. Li manderemo a ritirare nei prossimi giorni.»

«Poi abbiamo i disegni che avevo comprato all'inizio. Sono arrivati.»

«E i quadri d'altra provenienza?»

«Ci è andata piuttosto bene. Dixon ci presta due ritratti, i Magi manderanno un paio di sculture, e Deside's ci farà avere due nudi a olio e pastello. Poi c'è qualche altra opera, ma attendo ancora la conferma.»

«Che percentuale vuole Dixon?»

«Ha chiesto il venticinque, ma l'ho convinto ad accontentarsi del venti.»

Lampeth borbottò: «Vorrei sapere perché ci prova. Come se fossimo una botteguccia di Chelsea e non una delle gallerie più importanti».

Willow sorrise. «Anche noi ci proviamo sempre, con lui.»

«Questo è vero.»

«Hai detto che avevi anche un asso nella manica.»

«Ah, sì.» Lampeth consultò l'orologio. «Un'opera sconosciuta. Devo andare a occuparmene questa mattina. Comunque può aspettare fino a quando avrò bevuto il caffè.»

Lampeth pensò al falsario mentre il tassì attraversava il West End in direzione della City. Quell'uomo era pazzo, naturalmente; ma era un pazzo animato da moventi altruistici. Era molto facile fare il filantropo con i quattrini altrui.

Senza dubbio la soluzione più sensata era cedere alle richieste. Lampeth non sopportava d'essere ricattato.

Il tassì si fermò davanti all'agenzia e Lampeth entrò. Un impiegato lo aiutò a togliersi il soprabito che aveva indossato per proteggersi dalle brezze fredde dell'inizio di settembre.

Lipsey l'attendeva nel suo ufficio, con l'inevitabile bicchiere di sherry pronto sulla scrivania. Lampeth sedette in poltrona e centellinò lo sherry per riscaldarsi.

«Dunque l'ha trovato.»

Lipsey annuì. Si voltò verso la parete e scostò una sezione della libreria per rivelare una cassaforte. Con la chiave fissata alla catena del panciotto, aprì lo sportello.

«Meno male che ho una cassaforte molto grande» commentò. Estrasse una tela di circa un metro e venti per novanta centimetri. L'appoggiò sulla scrivania, sostenendola in modo che Lampeth potesse osservarla.

Lampeth la fissò per un minuto. Posò il bicchiere, si alzò e si avvicinò. Estrasse dalla tasca una lente e studiò le pennellate. Poi arretrò d'un passo e continuò a guardare il quadro.

«Quanto l'ha pagato?» chiese.

«Purtroppo ho dovuto sborsare cinquantamila sterline.»

«Ne vale il doppio.»

Lipsey posò il dipinto sul pavimento e sedette. «A me sembra orrendo» disse.

«Anche a me. Ma è assolutamente unico. Sbalorditivo. Non c'è dubbio che sia un Modigliani... ma nessuno sapeva che avesse dipinto qualcosa di simile.»

«Mi fa piacere che sia soddisfatto» disse Lipsey. Il tono lasciava capire che intendeva passare a una fase più pratica del colloquio.

«Deve aver assegnato l'incarico a uno dei suoi uomini più abili» mormorò Lampeth.

«Il migliore.» Lipsey represse un sorriso. «È andato a Parigi, Livorno, Rimini...»

«E ha battuto sul tempo mia nipote.»

«Non esattamente. Per la precisione...»

«Non voglio conoscere i particolari» l'interruppe Lampeth. «Mi ha preparato il conto? Vorrei saldarlo subito.»

«Certamente.» Lipsey andò alla porta dell'ufficio e parlò alla segretaria, poi tornò con un foglio tra le mani.

Lampeth esaminò il conto. A parte le cinquantamila per l'acquisto del quadro, ammontava a 1904 sterline. Prese dalla tasca il libretto personale e compilò l'assegno.

«Lo consegnerà con un furgone blindato?»

«Naturalmente» disse Lipsey. «È già incluso nel conto. Tutto il resto è di sua soddisfazione?»

Lampeth staccò l'assegno e glielo porse. «Ritengo di aver fatto un vero affare» disse.

La New Room era chiusa al pubblico, e al centro era

stato sistemato un tavolo da conferenze. Alle pareti erano appesi scuri, imponenti paesaggi vittoriani che sembravano particolarmente intonati all'umore tetro dei presenti.

C'erano i rappresentanti delle altre nove gallerie che sedevano intorno al tavolo, mentre i collaboratori e gli avvocati che avevano portato con loro li attorniavano su altre seggiole. Willow era a capotavola, con Lampeth al fianco. La pioggia tamburellava instancabile contro le finestre alte e strette, e l'aria era inazzurrata dal fumo dei sigari.

«Signori» esordì Willow, «tutti noi ci abbiamo rimesso somme ingenti e abbiamo fatto una figura piuttosto ridicola. Non possiamo recuperare il nostro amor proprio; e perciò siamo qui per discutere come possiamo rientrare almeno in possesso del nostro denaro.»

«È sempre pericoloso pagare un ricattatore.» Il netto accento scozzese era quello di Ramsey Crowforth. Il gallerista fece schioccare le bretelle e sbirciò Willow al di sopra degli occhiali. «Se ci pieghiamo, costoro, o magari altri, potrebbero ritentare lo stesso scherzo.»

John Dixon intervenne con tono pacato. «Non credo, Ramsey. D'ora in poi saremo tutti molto più cauti... soprattutto per quanto riguarda i certificati di provenienza. È un trucco che non si può rifare.»

«Sono d'accordo con Dixon» disse un terzo. Willow girò gli occhi verso di lui: era Paul Roberts, il più anziano tra i presenti, e parlava senza togliersi la pipa dalla bocca. «Non credo che il falsario abbia qualcosa da perdere. A quanto ho letto sui giornali sembra che abbia coperto così bene le sue tracce da lasciare alla polizia ben poche speranze di scoprirlo, indipendentemente dal fatto che noi chiediamo o no l'interruzione delle indagini. Se ci rifiuteremo di collaborare, quel mascalzone si terrà in tasca mezzo milione di sterline.»

Willow annuì. Roberts era probabilmente il gallerista più rispettato di Londra, una specie di "grande vecchio" del mondo artistico; e le sue parole avevano un peso non indifferente.

Willow disse: «Signori, ho preso qualche disposizione in modo che, se decideremo di accogliere le richieste, potremo procedere in fretta». Prese un fascio di fogli dalla cartella che aveva posato sul pavimento. «Ho chiamato qui il signor Jankers, il nostro legale, perché preparasse i documenti necessari all'istituzione di un fondo fiduciario.»

Tolse dal mucchietto il primo fascicolo e distribuì gli altri. «Forse è opportuno che diate un'occhiata. La clausola più importante è a pagina tre e stabilisce che il fondo fiduciario non farà nulla fino a quando non avrà ricevuto cinquecentomila sterline da Monsieur Renalle. In quel momento provvederà a versare il novanta per cento della somma a noi dieci, in misura proporzionale ai pagamenti effettuati per i falsi da ognuno degli interessati. Credo che le cifre siano esatte.»

Crowforth osservò: «Qualcuno dovrà pur gestire il fondo fiduciario».

«Ho preso accordi preliminari anche per questo» disse Willow. «Fatta salva l'approvazione di tutti voi, ovviamente. Comunque, il rettore del West London College of Art, Richard Pinkman, ha accettato di presiedere il consiglio d'amministrazione del fondo, se vogliamo. Penso che il vicepresidente dovrebbe essere uno di noi... magari il signor Roberts.

«Firmeremo una dichiarazione rinunciando a ogni diritto sul denaro, a parte gli accordi con il fondo fiduciario. Inoltre, dovremo impegnarci a ritirare la denuncia sporta contro Monsieur Renalle e i suoi complici.»

Crowforth disse: «Desidero che il mio legale esamini tutti questi documenti, prima di firmarli».

Willow annuì di nuovo. «Naturalmente.»

Roberts disse: «Sono d'accordo... comunque, è meglio chiudere in fretta la faccenda. Non potremmo decidere oggi stesso, in linea di principio? Al resto potranno provvedere i nostri avvocati nei prossimi due giorni, se non salterà fuori qualche intoppo».

«Ottima idea» approvò Willow. «Forse il nostro signor Jankers potrà coordinare il lavoro degli altri avvocati.» Jankers chinò la testa in segno d'assenso.

«Allora, signori, siamo tutti d'accordo?» Willow girò lo sguardo intorno al tavolo; ma non c'erano dissenzienti. «Non rimane altro che rilasciare una dichiarazione alla stampa. Siete disposti ad affidare il compito a me?» Anche questa volta nessuno fece obiezioni. «Sta bene. Invierò subito un comunicato. Se volete scusarmi, vi lascio con il signor Lampeth. Credo che abbia fatto preparare tè per tutti.»

Willow si alzò e lasciò la sala. Andò nel suo ufficio e sedette al telefono. Sollevò il ricevitore, si soffermò e sorrise tra sé.

«Penso che ti sia davvero riscattato, Willow» disse sottovoce.

Willow entrò nell'ufficio di Lampeth e gli mostrò il giornale della sera. «Sembra che sia finita» annunciò. «Jankers ha comunicato alla stampa l'avvenuta firma degli accordi.»

Lampeth diede un'occhiata all'orologio. «È il momento del gin» disse. «Ne vuoi uno anche tu?»

«Sì, grazie.»

Lampeth aprì lo stipo e versò il gin in due bicchieri. «Però non sono sicuro che sia finita. Non abbiamo ancora riavuto il nostro denaro.» Stappò una bottiglietta d'acqua tonica e ne divise il contenuto tra i due bicchieri.

«Oh, il denaro lo riavremo. È improbabile che i falsari si siano dati tanto da fare per combinare tutto al solo scopo di causare difficoltà. E poi, prima ci renderanno i quattrini, e prima la polizia sospenderà le indagini.»

«Non si tratta solo del denaro.» Lampeth si lasciò cadere sulla poltroncina e tranguggiò metà del contenuto del bicchiere. «Dovranno passare anni prima che il mondo dell'arte si riprenda da un colpo simile. Ormai l'opinione pubblica ci giudica imbroglioni che non sanno distinguere la differenza tra un capolavoro e una cartolina.»

«Devo dire... ehm...» Willow esitò.

«Che cosa?»

«Ho l'impressione che abbiano dimostrato qualcosa. Che cosa, esattamente, non lo so. Ma deve trattarsi di qualcosa di molto profondo.»

«Al contrario, è semplicissimo. Hanno dimostrato che i prezzi vertiginosi pagati per le grandi opere d'arte rispecchiano lo snobismo anziché un apprezzamento estetico. Questo lo sapevamo già. Hanno dimostrato che un Pissarro autentico non vale di più d'una copia realizzata da un esperto. Ebbene, è il pubblico che gonfia i prezzi, non i galleristi.»

Willow sorrise e guardò dalla finestra. «Lo so. Comunque, noi guadagniamo una percentuale grazie a questa inflazione.»

«E che cosa pretendono? Non potremmo certo guada-gnarci da vivere vendendo opere da cinquanta sterline.»

«I grandi magazzini ci riescono.»

«Sì, e guarda la qualità di ciò che vendono. No, Wil-low. Può darsi che il falsario abbia il cuore al posto giu-sto, ma non cambierà nulla. Noi perderemo prestigio per qualche tempo... forse per molto tempo: ma poi tutto tor-nerà normale, perché così dev'essere.»

«Senza dubbio hai ragione» disse Willow. Finì di bere. «Bene, giù stiamo per chiudere. Esci anche tu?»

«Sì.» Lampeth si alzò e Willow l'aiutò a indossare il so-prabito. «A proposito, cos'ha dichiarato alla stampa la polizia?»

«Dicono che siccome le denunce sono state ritirate non possono far altro che sospendere le indagini. Ma hanno dato l'impressione che sarebbero comunque felici di poter mettere le mani su Renalle».

Lampeth uscì dall'ufficio, seguito da Willow, e disse: «Non credo che avremo più notizie di Renalle.»

Scesero la scala in silenzio e attraversarono la galleria deserta. Lampeth guardò dalla vetrata. «La mia macchi-na non è ancora arrivata. Guarda come piove.»

«Be', io vado.»

«No, aspetta. Ti darò un passaggio. Dobbiamo parlare della mostra di Modigliani. In questi ultimi giorni non ne abbiamo avuto il tempo.»

Willow indicò qualcosa nell'angolo opposto della galle-ria. «Qualcuno ha dimenticato la spesa» disse.

Lampeth girò la testa. Nell'angolo, sotto un modesto disegno a carboncino, c'erano due grossi sacchetti di un supermercato. Da uno spuntava una confezione di deter-sivo. Willow andò a guardare.

«È meglio essere prudenti, con tutte le bombe che seminano in giro. Credi che l'IRA possa considerarci un obiettivo da colpire?»

Lampeth rise. «Non penso che mettano il detersivo nelle bombe.» Attraversò la sala e sollevò uno dei sacchetti.

La carta bagnata si lacerò e il contenuto si rovesciò sul pavimento. Willow si chinò con un'esclamazione soffocata.

Sotto il detersivo e la lattuga c'era un rotolo di carta da giornale. Nel rotolo c'era un mucchio di cartoncini e di fogli pesanti. Willow ne esaminò qualcuno.

«Azioni e titoli di stato» disse. «Certificati di proprietà al portatore. Non ho mai visto tanto denaro in tutta la mia vita.»

Lampeth sorrise. «Il falsario ha restituito il maltolto» commentò. «La faccenda è chiusa. Immagino che dovremmo avvertire i giornali.» Fissò i titoli per un momento. «Mezzo milione di sterline» disse abbassando la voce. «Ci pensi, Willow? Se prendessi quei sacchetti e te la filassi, potresti vivere nell'agiatezza in Sud America per il resto dei tuoi giorni.»

Willow stava per rispondere quando la porta della galleria si aprì.

«Mi dispiace, ma siamo chiusi» disse Lampeth.

L'uomo entrò. «Sono io, signor Lampeth» disse. «Mi chiamo Louis Broom... ci siamo conosciuti l'altro giorno. Mi hanno telefonato per avvertirmi che il mezzo milione è stato restituito. È vero?»

Lampeth guardò Willow. Sorrisero entrambi. «Addio, Sud America» disse Lampeth.

Willow scrollò la testa, impressionato. «Devo riconoscere che il nostro amico Renalle ha pensato a tutto.»

4

Julian attraversò lentamente il tranquillo villaggio del Dorset, guidando con prudenza la Cortina presa a nolo. L'indirizzo era piuttosto vago: Gaston Moore, Dunroamin, Cramford. Dunroamin! Era difficile capire perché l'esperto d'arte più in gamba della nazione avesse dato un nome tanto banale alla casa in cui aveva deciso di ritirarsi. Forse era uno scherzo.

Senza dubbio Moore era un tipo eccentrico. Rifiutava di mettere piede a Londra, non aveva telefono e non rispondeva mai alle lettere. Quando gli alti papaveri dell'ambiente artistico avevano bisogno di lui, dovevano recarsi in quel villaggio e bussare alla sua porta. E dovevano pagargli l'onorario in banconote nuove da una sterlina. Moore non aveva neppure un conto in banca.

Sembrava che nei villaggi non ci fosse mai nessuno in giro, pensò Julian. Svoltò a una curva e si affrettò a frenare. Una mandria di bovini stava attraversando la strada. Spense il motore e scese. Avrebbe chiesto indicazioni al bovaro.

Si aspettava di vedere un giovane con i capelli tagliati a scodella che masticava uno stelo d'erba. Il mandriano era giovane, ma aveva i capelli tagliati all'ultima moda, un maglione rosa acceso, calzoni violacei e stivaloni di gomma.

«Cerca il pittore, vero?» chiese. L'accento era simpatico.

«Come ha fatto a indovinarlo?» chiese Julian, meravigliato.

«Quasi tutti i forestieri cercano lui.» Il mandriano tese il braccio. «Torni indietro e svolti nella strada vicino alla casa bianca. C'è un bungalow.»

«Grazie.» Julian risalì in macchina e tornò indietro fino alla casa bianca. Lì accanto c'era una strada sterrata tutta solchi. La percorse fino a un cancello. Sulla vernice scrostata era scritto "Dunroamin" in lettere gotiche sbiadite.

Julian si batté la mano sulla tasca per assicurarsi di aver ancora il rotolo di biglietti di banca, poi tolse dal sedile posteriore il quadro imballato con cura e lo tirò fuori dalla macchina. Aprì il cancello e percorse il vialetto.

La casa di Moore era formata da due vecchi cottage con il tetto di paglia che erano stati unificati. Era bassa, con le finestre piccole e la calce che si sgretolava tra le pietre. Non meritava il nome di bungalow.

Bussò. Dopo una lunga attesa venne ad aprirgli un uomo curvo, appoggiato a un bastone. Aveva un ciuffo di capelli bianchi, occhiali dalle lenti spesse, e teneva la testa inclinata come un uccellino.

«Il signor Moore?» chiese Julian.

«E se anche fosse?» ribatté l'uomo con l'accento dello Yorkshire.

«Julian Black, della Black Gallery. Vorrei sapere se può autenticare un quadro.»

«Ha portato i contanti?» Moore stringeva ancora la porta come se si preparasse a sbatterla in faccia al visitatore.

«Sì.»

«Allora entri.» Moore lo precedette all'interno. «Attento alla testa» avvertì. Ma non era necessario: Julian era troppo basso per urtare contro le travi.

Il soggiorno sembrava occupare gran parte dello spazio d'uno dei due cottage. Era ingombro di mobili vecchiotti in mezzo ai quali spiccava un enorme televisore a colori. C'era odore di gatti e di vernice.

«Bene, diamo un'occhiata.»

Julian incominciò a liberare il dipinto dalle cinghie di cuoio, i fogli di polistirene e l'ovatta.

«Senza dubbio è un altro falso» disse Moore. «Non vedo altro che falsi, in questi giorni. Ce ne sono tanti. Ho sentito alla tivù che la settimana scorsa un dritto ha preso tutti quanti per i fondelli. Mi sono fatto quattro risate.»

Julian gli porse la tela. «Credo che questo sia autentico, vedrà» disse. «Voglio soltanto la sua conferma.»

Moore prese il quadro, ma non lo guardò. «Ora, deve rendersi conto d'una cosa» disse. «Io non posso dimostrare l'autenticità d'un quadro. L'unico sistema sarebbe stare a guardare mentre l'artista lo dipinge, dall'inizio alla fine, e poi portarselo via e chiuderlo in cassaforte. Allora si può essere sicuri. La sola cosa che posso fare io è cercare di dimostrare che è un falso. Ci sono moltissimi modi in cui un falso *può* rivelarsi, e io li conosco quasi tutti. Ma se anche non riesco a trovare qualcosa che non va, è sempre possibile che domani l'artista se ne venga fuori a dichiarare che non lo ha mai dipinto, e lei non potrebbe contestarlo. Sono stato chiaro?»

«Certo» disse Julian.

Moore continuò a fissarlo e a tenere la tela sulle ginocchia.

«Bene, allora vuole esaminarlo?»

«Non mi ha ancora pagato.»

«Mi scusi.» Julian mise la mano in tasca.

«Duecento sterline.»

«D'accordo.» Julian porse due rotoli di biglietti di banca e Moore incominciò a contarli.

Mentre lo guardava, Julian si rese conto che il vecchio aveva scelto con molto acume il modo di trascorrere gli anni che gli restavano da vivere. Abitava solo, in santa pace, conscio di avere alle spalle un'esistenza di lavoro ben fatto. Se ne infischiava delle pressioni e degli snobismi di Londra, concedeva con il contagocce i tesori della sua competenza e obbligava i principi del mondo artistico a sobbarcarsi un faticoso pellegrinaggio fino a casa sua per chiedergli udienza. Era dignitoso e indipendente. Julian lo invidiava un po'.

Moore finì di contare il denaro e lo buttò in un cassetto con aria di noncuranza. Finalmente guardò il dipinto.

«Be'» disse subito. «Se è un falso, è maledettamente ben fatto.»

«Come può affermarlo tanto in fretta?»

«La firma è come deve essere... non troppo perfetta. È un errore che commettono quasi tutti i falsari: riproducono la firma con tanta esattezza da farla apparire forzata. Questa è fluida, naturale.» Moore passò lo sguardo sul quadro. «Insolito. Mi piace. Dunque, vuole che faccia un'analisi chimica?»

«Perché no?»

«Perché si segna la tela. Dovrò raschiare via un po' di

colore. Lo si può fare in un punto dove la cornice nasconderà il segno, ma io lo domando sempre prima.»

«Proceda pure.»

Moore si alzò. «Venga con me.» Precedette Julian attraverso il corridoio ed entrò nel secondo cottage. L'odore di vernice era più forte. «Questo è il laboratorio» disse Moore.

Era una stanza quadrata con un banco da lavoro appoggiato a una parete. Le finestre erano state ingrandite e i muri tinteggiati di bianco. Al soffitto era appesa una lampada fluorescente e sul banco c'erano vecchi barattoli che contenevano strane sostanze.

Moore si tolse la dentiera con un movimento rapido e la lasciò cadere in un recipiente di Pyrex. «Non posso lavorare, con questa» spiegò. Sedette al banco e vi posò il quadro.

Incominciò a rimuovere la cornice. «Ho un'impressione, figliolo» disse senza smettere di lavorare. «Credo che lei sia come me. Non l'accettano come uno di loro, vero?»

Julian aggrottò la fronte, perplesso. «No, non credo che mi accettino.»

«Vede, io ho sempre saputo della pittura molto più della gente per cui lavoravo. Si servivano della mia competenza; ma non mi rispettavano davvero. Perciò adesso ce l'ho tanto con loro. È come essere un maggiordomo, capisce? Tanti maggiordomi s'intendono di cucina e di vini molto più dei loro padroni, ma vengono guardati egualmente dall'alto in basso. La chiamano distinzione di classe. Io ho passato la vita cercando d'essere uno di loro. Credevo che fare l'esperto d'arte fosse la strada giusta, ma sbagliavo. Non c'è modo per entrare davvero in quel giro!»

«E un matrimonio appropriato?» suggerì Julian.

«È quel che ha fatto lei? Allora sta peggio di me. Non può tirarsene fuori. La compiango, figliolo.»

Un lato della cornice s'era staccato, e Moore sfilò il vetro. Prese un coltello affilato come un bisturi e fece scorrere delicatamente la lama su un millimetro di colore.

«Oh» borbottò.

«Cosa c'è?»

«Quando morì esattamente Modigliani?»

«Nel 1920.»

«Oh.»

«Perché?»

«Il colore è un po' molle, ecco tutto. Ma non significa niente. Aspetti.»

Moore prese da un ripiano una bottiglia di liquido trasparente, ne versò un poco in una provetta e vi intinse il coltello. Per un paio di minuti non accadde nulla. A Julian parve che trascorresse un secolo. Poi il colore incrostato sulla lama incominciò a sciogliersi nel liquido.

Moore alzò la testa. «È tutto chiaro.»

«Che cos'ha scoperto?»

«Il colore non ha più di tre mesi, giovanotto. È un falso. Quanto l'ha pagato?»

Julian guardò il colore che si dissolveva nella provetta. «Mi è costato quasi tutto ciò che avevo» disse a voce bassa.

Ripartì per Londra. Era stordito. Non riusciva a immaginare come fosse accaduto. Stava cercando di decidere cosa avrebbe potuto fare.

Era andato da Moore semplicemente per accrescere il valore del quadro. Era stata una specie di ripensamento: non aveva mai dubitato dell'autenticità dell'opera. Adesso era pentito. E l'interrogativo che stava rimuginando, facendolo roteare nella mente come un giocatore d'azzardo rigira i dadi tra le mani, era molto semplice: poteva fingere di non essere stato da Moore?

Poteva esporre comunque il quadro nella galleria. Nessuno avrebbe saputo che non era autentico. Moore non l'avrebbe mai visto, non avrebbe mai scoperto che era in circolazione.

Ma il guaio era che avrebbe potuto parlarne casualmente. Magari dopo anni. E allora sarebbe venuta a galla la verità: Julian Black aveva venduto un quadro sapendo che era falso. Sarebbe stata la fine della sua carriera.

Era molto improbabile. Dio buono, Moore sarebbe morto comunque entro pochi anni... doveva essere sulla settantina. Se almeno fosse morto presto!

Julian si rese conto che, per la prima volta in vita sua, stava pensando alla possibilità di commettere un omicidio. Scosse la testa, come per scacciare la confusione. Era un'idea assurda. Ma di fronte a una prospettiva tanto drastica diminuiva il rischio di presentare il quadro. Che cosa aveva da perdere? Senza il Modigliani, la sua carriera sarebbe finita comunque. Il suocero non gli avrebbe prestato altro denaro, e la galleria sarebbe stata probabilmente un fiasco.

Quindi era deciso. Avrebbe dimenticato Moore. Avrebbe presentato il quadro.

L'essenziale, adesso, era comportarsi come se non fosse accaduto nulla. Era atteso a cena in casa di Lord Cardwell. Ci sarebbe stata anche Sarah, che aveva intenzione di fermarsi per la notte. Julian sarebbe rimasto con la moglie: era la cosa più normale del mondo. Si diresse verso Wimbledon.

Quando arrivò, trovò una Daimler blu che conosceva parcheggiata sul viale accanto alla Rolls del suocero. Julian trasferì il falso Modigliani nel portabagagli della Cortina prima di presentarsi alla porta.

«Buonasera, Sims» disse al maggiordomo che gli aveva aperto. «Quella è la macchina del signor Lampeth, vero?»

«Sì, signore. Sono tutti nella galleria.»

Julian gli affidò il soprabito e salì la scala. Sentì la voce di Sarah che proveniva dall'alto.

Entrò nella galleria e si fermò di colpo. Le pareti erano nude.

Cardwell lo chiamò: «Vieni, Julian, vieni a farmi le condoglianze. Charles si è portato via tutti i miei quadri per venderli».

Julian entrò, strinse la mano ai due uomini e baciò Sarah. «È uno shock» disse. «La sala sembra così spoglia.»

«Davvero, eh?» ammise Cardwell in tono gioviale. «Be', adesso andiamo a cena e non pensiamo più a questa stramaledetta storia. Scusami, Sarah.»

«Non è necessario che misuri i termini con me, lo sai» disse la figlia.

«Oh, mio Dio» mormorò Julian fissando a occhi sgranati l'unico quadro rimasto appeso alla parete.

«Cosa c'è?» chiese Lampeth. «Sembra che abbia visto un fantasma. È il mio ultimo acquisto, e l'ho portato per mostrarlo a voi tutti. Non può esistere una galleria completamente senza quadri.»

Julian si voltò e andò alla finestra. Era stravolto. Il quadro portato da Lampeth era una copia esatta del suo Modigliani falso.

Quel bastardo aveva l'originale mentre lui aveva una crosta. Si sentiva soffocare dall'odio.

All'improvviso un piano avventato prese forma nella sua mente. Si voltò di nuovo, in fretta.

Gli altri lo guardavano con aria un po' perplessa.

Cardwell disse: «Stavo appunto spiegando a Charles che anche tu hai un nuovo Modigliani, Julian».

Julian sorrise con uno sforzo. «Appunto per questo è stato un colpo. È identico al mio.»

«Dio santo!» esclamò Lampeth. «Lei l'ha fatto autenticare?»

«No» mentì Julian. «E lei?»

«No. Dio buono, credevo che non ci fossero dubbi.»

Cardwell disse: «Be', uno di voi due ha un falso. Sembra che nel mondo dell'arte, in questi giorni, i falsi siano più numerosi degli originali. Personalmente, spero che sia autentico quello di Julian... ho un interesse in gioco». E rise di cuore.

«Potrebbero essere autentici tutti e due» disse Sarah. «Tanti pittori non facevano altro che ripetersi.»

Julian si rivolse a Lampeth: «Il suo dove l'ha trovato?».

«L'ho comprato da un tale, amico mio.»

Julian si rese conto di aver travalicato i limiti dell'etica professionale. «Mi scusi» mormorò.

Il maggiordomo suonò la campana per annunciare che la cena era servita.

Samantha stava volando. Tom le aveva dato la scatoletta piatta, quella sera, e lei aveva preso sei capsule blu. Si sentiva leggera e fremente, e traboccava d'eccitazione.

Era sul sedile anteriore del furgoncino, stretta fra Tom e "Occhi" Wright. Tom guidava, e dietro c'erano altri due uomini.

Tom disse: «Ricordate, se non facciamo rumore do-vremmo cavarcela senza svegliare nessuno. Se qualcuno ci sorprende, puntategli contro una pistola e legatelo. Nien-te violenze. E adesso zitti, siamo arrivati».

Spense il motore e lasciò che il furgone proseguisse sul-lo slancio per gli ultimi metri. Lo fermò davanti al cancel-lo della casa di Lord Cardwell, poi si girò a parlare ai due uomini che stavano dietro. «Aspettate il segnale.»

I tre davanti scesero. S'erano infilati sulla fronte le cal-ze di nailon, pronti a calarsele sulla faccia se fossero stati visti dagli abitanti della casa.

Si avviarono guardinghi lungo il viale. Tom si fermò davanti a una botola e bisbigliò a Wright: «Antifurto».

Wright si chinò e inserì un utensile nel coperchio della botola, lo sollevò senza fatica e scrutò all'interno con una torcia elettrica. «È uno scherzo» disse.

Samantha rimase a guardare affascinata mentre lo scas-sinatore si piegava e infilava le mani guantate nel grovi-glio dei fili e ne separava due rivestiti di plastica bianca.

Wright prese dalla borsa un cavo che terminava in due morsetti. I fili bianchi emergevano da un lato della botola e sparivano dall'altro. Wright fissò il suo cavetto ai due terminali dalla parte della botola più lontana dalla casa, poi staccò i fili dalla coppia opposta dei terminali. Si alzò. «È la linea diretta con gli sbirri locali» bisbigliò. «Adesso è andata in cortocircuito.»

I tre si accostarono alla casa. Wright puntò il raggio della torcia elettrica sull'intelaiatura d'una finestra. «Pro-prio questa» mormorò. Frugò di nuovo nella borsa e pe-scò un tagliavetri.

Tagliò tre lati di un piccolo rettangolo nella finestra, vi-cino alla maniglia interna. Svolse un pezzo di nastro isolante da un rotolo e lo staccò con i denti, ne avvolse un'estremità intorno al pollice e premette l'altra contro il vetro. Poi tagliò il quarto lato del rettangolo, lo sollevò con il nastro adesivo e lo depose delicatamente a terra.

Tom insinuò la mano nell'apertura e girò la maniglia. Sospinse la finestra per spalancarla e la scavalcò.

Wright prese Samantha per il braccio e la condusse davanti alla porta d'ingresso. Dopo qualche istante l'uscio si aprì senza far rumore e apparve Tom.

I tre attraversarono l'atrio e salirono la scala. Quando furono davanti alla galleria, Tom strinse il braccio di Wright e gli indicò la base dello stipite.

Wright posò la borsa e l'aprì. Estrasse una lampada a infrarossi, l'accese e la puntò verso la piccola cellula fotoelettrica inserita nel legno. Con la mano libera prese un treppiede, lo piazzò sotto la lampada e ne regolò l'altezza. Finalmente appoggiò con cura la lampada sul treppiede e si alzò.

Tom prese la chiave sotto il vaso cinese e aprì la porta della galleria.

Julian era sveglio e ascoltava il respiro di Sarah. Avevano deciso di restare in casa di Lord Cardwell, dopo la cena. Sarah dormiva profondamente da diverso tempo. Julian guardò le lancette luminose del suo orologio. Erano le 2 e 30 del mattino.

Adesso era il momento adatto. Scostò il lenzuolo e si sollevò lentamente a sedere, buttando le gambe giù dal letto. Un nodo gli serrava lo stomaco.

Il piano era semplicissimo. Sarebbe sceso nella galleria, avrebbe preso il Modigliani di Lampeth e l'avrebbe messo nel baule della Cortina. Quindi avrebbe appeso nella galleria il quadro falso e sarebbe tornato a letto.

Lampeth non si sarebbe accorto di nulla. I dipinti erano quasi identici. Lampeth avrebbe scoperto che il suo era falso, e avrebbe pensato che quello vero fosse sempre stato nelle mani di Julian.

Infilò la vestaglia e le pantofole che gli aveva portato Sims e aprì la porta della stanza da letto.

Aggirarsi in una casa nel cuore della notte era semplice, in teoria: c'era da pensare che nessuno si sarebbe accorto di niente. In realtà, sembrava che ci fossero mille problemi. E se uno dei vecchi si fosse alzato per andare in bagno? E se lui avesse inciampato in qualcosa?

Mentre avanzava in punta di piedi lungo il ballatoio, Julian pensò a ciò che avrebbe detto se l'avessero sorpreso. Aveva deciso di confrontare il Modigliani di Lampeth con il suo... sì, sarebbe stato credibile.

Raggiunse la porta della galleria e si fermò, agghiacciato. Era aperta.

Aggrottò la fronte. Cardwell la chiudeva sempre con ogni cura. Quella sera Julian l'aveva visto girare la chiave e riporla nel solito nascondiglio.

Perciò qualcun altro s'era alzato nel cuore della notte per visitare la galleria.

Sentì una voce bisbigliare: «Accidenti!».

Un'altra voce sibilò: «Devono averli portati via oggi».

Julian socchiuse le palpebre nell'oscurità. Erano voci di ladri. Ma erano rimasti frustrati: i quadri non c'erano più.

Vi fu un lieve cigolio e Julian si acquattò contro la parete, dietro una monumentale pendola. Tre figure uscirono dalla galleria. Una reggeva un quadro tra le braccia.

Si stavano portando via il Modigliani autentico.

Julian aspirò profondamente per urlare... poi una delle figure passò in un raggio di luna che entrava dalla finestra. Riconobbe il volto famoso di Samantha Winacre e rimase troppo sbalordito per gridare.

Com'era possibile che fosse Sammy? Allora... allora aveva preteso d'essere invitata a cena per effettuare una ricognizione! Ma come mai s'era imbrancata con quei delinquenti? Julian scrollò la testa. Non aveva molta importanza, ormai. Il suo piano era saltato.

Pensò a come poteva risolvere la nuova situazione. Non era più necessario che fermasse i ladri... sapeva dove sarebbe finito il Modigliani. Ma il suo piano era completamente rovinato.

All'improvviso sorrise nel buio. No, non era rovinato affatto.

Un soffio d'aria fredda gli rivelò che i ladri avevano aperto la porta d'ingresso. Decise di lasciar loro un minuto per allontanarsi.

Povera Sammy, pensò.

Scese adagio la scala e uscì dalla porta che era rimasta spalancata. Aprì senza far rumore il portabagagli della Cortina e tirò fuori il falso Modigliani. Si voltò verso la casa e vide il rettangolo tagliato nel vetro della finestra della sala da pranzo. La finestra era aperta. Ecco com'erano penetrati nell'interno.

Richiuse il portabagagli e rientrò, lasciando la porta aperta come l'aveva trovata. Salì nella galleria e appese il Modigliani falso nel posto dove fino a pochi minuti prima stava quello autentico.

Poi andò a letto.

La mattina si svegliò presto, sebbene avesse dormito

pochissimo. Fece il bagno e si vestì in fretta, poi scese in cucina. Sims stava già facendo colazione mentre il cuoco preparava per il padrone di casa e gli ospiti.

«Non si disturbi» disse Julian a Sims quando il maggiordomo accennò ad alzarsi. «Me ne vado subito. Vorrei solo un caffè. Ci penserà il cuoco.»

Sims ammucchiò sulla forchetta uova, salsiccia e pancetta e finì il pasto in un boccone. «Quando qualcuno si alza presto, di solito gli altri lo imitano, signor Black» disse. «Sarà meglio che vada ad apparecchiare.»

Julian sedette e bevve il caffè mentre il maggiordomo usciva. Il grido di sorpresa giunse dopo un minuto, come aveva previsto.

Sims tornò precipitosamente in cucina. «Credo che ci abbiano derubato, signore» disse.

Julian si finse stupito. «Cosa?» esclamò, e si alzò di scatto.

«Hanno aperto un foro in un vetro della sala da pranzo, e la finestra è aperta. Stamattina avevo notato che era aperta anche la porta d'ingresso, ma avevo pensato che fosse stato il cuoco. E anche la porta della galleria è socchiusa... però il quadro c'è ancora.»

«Diamo un'occhiata alla finestra» disse Julian. Sims lo seguì in sala da pranzo.

Julian esaminò il foro per un momento. «Credo che fossero venuti per rubare i quadri e siano rimasti delusi. E devono aver pensato che il Modigliani non valesse nulla. È un quadro molto insolito... forse non l'hanno riconosciuto. La prima cosa da fare è telefonare alla polizia, Sims. Poi svegli Lord Cardwell. E incominci a controllare in casa, per vedere se è sparito qualcosa.»

«Molto bene, signore.»

Julian diede un'occhiata all'orologio. «Vorrei tanto restare, ma ho un appuntamento importante. Bene. Andrò, visto che a quanto sembra non hanno rubato niente. Avverta mia moglie che le telefonerò più tardi.»

Sims annuì e Julian si affrettò a uscire.

Attraversò Londra a tutta velocità. Era una mattina ventosa, ma le strade erano asciutte. Con ogni probabilità Sammy e i suoi complici (uno dei quali doveva essere il suo amico del cuore) avrebbero tenuto il quadro almeno per quel giorno.

Si fermò davanti alla casa di Islington e balzò a terra, lasciando inserita la chiave dell'accensione. C'erano troppe incognite nel suo piano ed era impaziente.

Batté energicamente il picchiotto e attese. Quando, dopo un paio di minuti, non ebbe ottenuto una risposta, batté di nuovo, con più forza.

Finalmente Samantha venne ad aprire. I suoi occhi avevano un'espressione di paura malcelata.

«Dio sia ringraziato» disse Julian, ed entrò senza attendere un invito.

Tom era nell'ingresso, con un asciugamani avvolto intorno alla vita. «Cosa diavolo crede di fare piombando qui come...»

«Silenzio!» intimò Julian. «Vogliamo scendere a parlare?»

Tom e Samantha si scambiarono un'occhiata. L'attrice annuì quasi impercettibilmente e Tom aprì la porta della scala. Julian scese per primo.

Sedette sul divano e disse: «Rivoglio il mio quadro».

«Non ho la più vaga idea...» disse Samantha.

«Piantala, Sammy» l'interruppe Julian. «*So tutto*. Questa notte siete entrati in casa di Lord Cardwell per rubargli i quadri. Li avevano già portati via, e così avete preso l'unico che c'era. Purtroppo non è suo. È mio. Se me lo restituisci, non mi rivolgerò alla polizia.»

Senza una parola, Samantha si alzò e andò a un armadio. Aprì l'anta ed estrasse il quadro. Lo porse a Julian.

Lui la guardò in faccia. Era stravolta: le guance erano tirate, gli occhi sbarrati in un'espressione che non era ansia né sorpresa, i capelli spettinati. Julian prese il quadro.

Il sollievo che lo pervase lo fece sentire improvvisamente debole.

Tom rifiutava di parlare con Samantha. Era rimasto sulla poltrona per due o tre ore, a fumare e a guardare nel vuoto. Sammy gli aveva portato il caffè preparato da Anita, ma era ancora lì, freddo, sul tavolino.

Lei ritentò: «Tom, che cosa importa? Non ci arresteranno... lui ha promesso di non rivolgersi alla polizia. Non abbiamo perso niente. E del resto era solo un capriccio, uno scherzo».

Tom non rispose.

Samantha appoggiò la testa alla spalliera e chiuse gli occhi. Era sfinita, fiaccata da una stanchezza nervosa che non le permetteva di rilassarsi. Avrebbe avuto bisogno di qualche capsula; ma le aveva finite. Tom avrebbe potuto uscire per procurargliene altre, se si fosse scosso da quella specie di trance.

Bussarono alla porta d'ingresso. Finalmente Tom si mosse. Fissò la porta con aria diffidente, come un animale in trappola. Samantha udì i passi di Anita nel corridoio, poi una conversazione a bassa voce.

Giù per la scala risuonò uno scalpiccìo. Tom si alzò.

I tre uomini non guardarono neppure Samantha.

Due erano massicci e atletici. Il terzo era basso, e indossava un soprabito dal colletto di velluto.

Fu il più basso a parlare. «Hai dato una delusione al capo, Tom. Non è molto soddisfatto. Vuol parlare con te.»

Tom si mosse in fretta ma i due colossi furono più svelti. Mentre si slanciava verso la porta, uno allungò un piede per fargli lo sgambetto e l'altro gli diede uno spintone.

Lo rialzarono tenendolo per le braccia. C'era uno strano sorriso quasi sensuale sulla faccia dell'uomo basso. Colpì ripetutamente lo stomaco di Tom con entrambi i pugni e continuò anche quando Tom si accasciò a occhi chiusi nella stretta degli altri due.

Samantha aprì la bocca ma non riuscì a urlare.

L'ometto schiaffeggiò Tom fino a quando riaprì gli occhi. Uscirono tutti e quattro.

Samantha sentì sbattere la porta d'ingresso. Il telefono squillò. Sollevò automaticamente il ricevitore e ascoltò.

«Oh, Joe» disse. «Oh, Joe, grazie a Dio sei tu.» E scoppiò in pianto.

Per la seconda volta in due giorni Julian bussò alla porta di Dunroamin. Quando venne ad aprirgli Moore aveva l'aria sorpresa.

«Questa volta ho l'originale» disse Julian.

Moore sorrise. «Lo spero» disse. «Entri, figliolo.»

L'esperto d'arte si avviò verso il laboratorio, senza preamboli. «Dia qua.»

Julian gli consegnò il quadro. «Ho avuto un colpo di fortuna.»

«Lo credo. È meglio che non mi racconti i particolari.» Moore si tolse la dentiera e smontò la cornice. «Sembra lo stesso quadro di ieri.»

«Quello di ieri era una copia.»

«E adesso vuole la conferma di Gaston Moore.» Moore prese il coltello e staccò un pezzetto minutissimo di colore dall'orlo della tela. Versò il liquido incolore nella provetta e vi immerse la lama.

Attesero in silenzio.

«Sembra che sia tutto a posto» disse Julian dopo un paio di minuti.

«Non abbia fretta.»

Continuarono ad attendere.

«No!» gridò Julian.

Il colore si stava sciogliendo nel solvente, come il giorno prima.

«Un'altra delusione. Mi dispiace, figliolo.»

Julian batté il pugno sul banco, furiosamente. «Com'è possibile?» sibilò. «Non capisco!»

Moore rimise la dentiera. «Senta, figliolo. Un falso è un falso. Ma non lo copia nessuno. Invece, qualcuno si è preso il disturbo di farne due. Quindi, è quasi certo che c'è un originale da qualche parte. Forse lo troverà. Non potrebbe cercarlo?»

Julian si alzò. L'emozione era sparita dal suo viso; aveva l'aria sconfitta ma dignitosa, come se la battaglia non avesse più importanza, perché aveva compreso come l'aveva perduta.

«So benissimo dov'è» disse. «E non posso farci nulla.»

5

Dee, completamente nuda, era adagiata su una poltrona a sacco quando Mike entrò nell'appartamento di Regent's Park e si sfilò il soprabito.

«A me sembra sexy» disse lei.

«Non è altro che un soprabito» rispose Mike.

«Mike Arnaz, sei d'un narcisismo insopportabile» rise Dee. «Mi riferivo al quadro.»

Lui lasciò cadere il soprabito sulla moquette e andò a sedere sul pavimento, al suo fianco. Fissarono entrambi il quadro appeso alla parete.

Le donne erano inequivocabilmente donne di Modigliani: avevano volti allungati e stretti, i nasi caratteristici, le espressioni imperscrutabili. Ma qui finiva ogni rassomiglianza con il resto delle sue opere.

La composizione era un caos di arti e di busti, distorti e aggrovigliati e misti a frammenti di sfondo: asciugamani, fiori, tavoli. Sotto questo aspetto, il quadro prefigurava il lavoro che Picasso stava svolgendo in segreto negli ultimi anni della vita del pittore livornese. Ma c'era qualcosa di diverso: il colore. Era psichedelico: rosa sconvolgenti, arancioni, viola e verdi, dipinti con chiarezza e intensità, completamente al di fuori del periodo. I colori non avevano nessuna relazione con gli oggetti: una gamba poteva essere verde, una mela blu, una chioma turchese.

«Non mi eccita affatto» commentò finalmente Mike. «Almeno, non in quel senso.» Staccò gli occhi dal quadro e appoggiò la testa sulla coscia di Dee. «Questo sì, invece.»

Lei gli sfiorò i riccioli con la mano. «Mike, ci pensi molto?»

«No.»

«Io sì. Sono convinta che noi due siamo un'abominevole, geniale coppia d'imbroglioni. Guarda che cosa abbiamo ottenuto: questo quadro meraviglioso praticamente gratis, il materiale per la mia tesi e cinquantamila sterline a testa.» Dee rise sommessamente.

Mike chiuse gli occhi. «Certo, tesoro.»

Anche Dee chiuse le palpebre. Entrambi rievocarono la scena che si era svolta in un modesto bar di campagna, in un paesetto italiano.

Dee entrò per prima e trasalì nel vedere che l'uomo basso, bruno ed elegante da loro stessi messo su una falsa pista era già lì.

Mike rifletté fulmineamente. Le sibilò all'orecchio: «Se me ne vado, tu continua a farlo parlare».

Dee ricuperò subito la compostezza e si avvicinò al tavolo dell'uomo. «Mi sorprende trovarla ancora qui» disse in tono garbato.

L'uomo si alzò. «Anch'io sono sorpreso» disse. «Volete farmi compagnia?»

Sedettero tutti e tre al tavolino. «Cosa preferite?» chiese l'uomo.

«Mi pare che sia il mio turno» disse Mike. Si girò verso il banco. «Due whisky e una birra» esclamò.

«A proposito, mi chiamo Lipsey.»

«Io sono Michael Arnaz e questa è Dee Sleign.»

«Molto lieto.» Al nome di Arnaz negli occhi di Lipsey era passato un lampo di sorpresa.

Un altro uomo entrò nel bar e adocchiò il loro tavolo.

Esitò un momento poi disse: «Ho visto la targa inglese. Posso? Mi chiamo Julian Black» soggiunse. E tutti si presentarono.

«È strano, trovare tanti inglesi in un paesino fuori mano come questo» commentò Black.

Lipsey sorrise. «Questi due signori cercano un capolavoro perduto» spiegò con aria indulgente.

Black disse: «Allora lei dev'essere Dee Sleign. Anch'io sto cercando lo stesso quadro».

Mike intervenne con prontezza. «E lo cerca anche il signor Lipsey, benché sia l'unico che non l'ha ammesso apertamente.» Lipsey aprì la bocca per ribattere, ma Mike lo prevenne. «Comunque è arrivato in ritardo. Il quadro l'ho già io. È nel portabagagli della mia macchina. Vuole vederlo?»

Senza attendere una risposta si alzò e uscì dal bar. Dee nascose lo sbalordimento e rammentò le istruzioni.

«Bene, bene, bene» disse Lipsey.

«Spiegatemi una cosa» chiese Dee. «È stato un puro caso a mettermi sulle tracce del quadro. Voi due come ci siete arrivati?»

«Sarò sincero» disse Black. «Lei ha mandato una cartolina a una nostra comune amica, Sammy Winacre... e io l'ho vista. Sto per aprire una galleria e non ho resistito alla tentazione di vedere che cosa potevo fare.»

Dee si rivolse a Lipsey. «Quindi lei è stato mandato da mio zio?»

«No» rispose Lipsey. «Si sbaglia. Ho incontrato casualmente un vecchio, a Parigi, che me ne ha parlato. Credo sia la stessa persona che l'ha detto a lei.»

Dall'interno della casa risuonò un richiamo imperioso, e il barista andò a vedere cosa voleva la moglie.

Dee si domandava che diavolo stava combinando Mike. Si sforzò di tener viva la conversazione. «Ma il vecchio mi aveva indirizzata a Livorno» disse.

«E ci sono andato anch'io» ammise Lipsey. «Ma ormai non dovevo far altro che seguire le sue tracce e sperare di precederla. Mi rendo conto che non ce l'ho fatta.»

«Già.»

La porta si aprì e Mike rientrò. Dee rimase allibita nel vedere che aveva una tela sotto il braccio.

Mike l'appoggiò sul tavolino. «Eccolo, signori» disse. «Ecco il quadro. Avete fatto tanta strada per vederlo.»

Tutti lo fissarono in silenzio.

Finalmente Lipsey chiese: «Che cosa intende farne, signor Arnaz?».

«Lo venderò a uno di voi due» rispose Mike. «Dato che per poco non mi avete battuto sul tempo, vi farò delle condizioni speciali.»

«Sentiamo» disse Black.

«Il fatto è che sarà necessario esportarlo clandestinamente. Le leggi italiane non consentono l'esportazione d'opere d'arte senza autorizzazione, e se la chiedessimo cercherebbero di confiscarci il quadro. Io mi propongo di portare la tela a Londra. Ciò significa che dovrò venir meno alle leggi di due paesi... dato che dovrò introdurlo di nascosto in Gran Bretagna. Per proteggermi, dovrò chiedere a quello di voi che farà l'offerta più alta di firmare una dichiarazione attestante che la somma mi è stata pagata per saldare un debito di gioco.»

«Perché non vuole venderlo qui?» chiese Black.

«Perché a Londra il quadro varrà di più» rispose Mike con un gran sorriso. Prese la tela dal tavolino. «Il mio nome è sull'elenco telefonico» disse. «Arrivederci a Londra.»

Mentre la Mercedes blu si allontanava dal bar e puntava verso Rimini, Dee chiese: «Ma come diavolo hai fatto?».

«Be', ho girato intorno alla casa e ho parlato con la moglie del padrone» disse Mike. «Le ho domandato se era lì che aveva abitato Danielli, e mi ha risposto di sì. Ho chiesto se aveva lasciato qualche quadro, e mi ha mostrato questo. Allora ho detto "Quanto vuole per cedermelo?". È stato allora che ha chiamato il marito. Lui mi ha chiesto l'equivalente di cento sterline.»

«Mio Dio!» esclamò Dee.

«Non temere» disse Mike. «L'ho convinto a vendermelo per ottanta.»

Dee riaprì gli occhi. «Dopo è stato tutto facile» disse. «Nessuna bega alla dogana. I falsari hanno sfornato in fretta le due copie, e Lipsey e Black hanno pagato cinquantamila sterline di debiti di gioco. Non ho il minimo rimorso di coscienza per aver truffato quei due viscidi individui. Avrebbero fatto altrettanto con noi. Soprattutto Lipsey... sono ancora convinta che ha agito per incarico dello zio Charles.»

«Mmmmm.» Mike strofinò le labbra contro la pelle di Dee. «Sei andata avanti con la tesi, oggi?»

«No. Sai, credo che non la scriverò neppure.»

Lui alzò la testa per guardarla. «E perché?»

«Dopo quel che è successo, mi sembra così irreale.»

«Che cosa farai?»

«Be', una volta mi avevi offerto un lavoro.»

«E tu avevi rifiutato.»

«Ora è diverso. Ho dimostrato d'essere in gamba quanto te. E sappiamo che formiamo una coppia formidabile, negli affari come a letto.»

«È il momento giusto per chiedermi di sposarmi?»

«No. Ma c'è qualcosa d'altro che puoi fare per me.»

Mike sorrise. «Lo so.» Si sollevò sulle ginocchia e le baciò il ventre, passandole la lingua sull'ombelico.

«Ehi, c'è una cosa che non ho capito.»

«Oh, Gesù. Non puoi concentrarti sul sesso, per un po'?»

«Non ancora. Ascoltami. Tu hai finanziato i falsari, vero? Usher e Mitchell?»

«Sì.»

«Quando?»

«Quando sono venuto a Londra.»

«E la tua idea era metterli in una situazione tale che sarebbero stati costretti a fare le due copie per noi.»

«Giusto. E adesso possiamo far l'amore?»

«Un momento.» Dee gli scostò la testa. «Ma quando sei venuto a Londra, non sapevi neppure che ero sulle tracce del quadro.»

«Giusto.»

«E allora perché hai teso la trappola ai falsari?»

«Avevo fiducia in te, pupa.»

Nella stanza scese il silenzio mentre fuori il cielo imbruniva.